D1128107
WE

New York

THRU STREET
E 37 ST
NO TURNS
UNTIL 6 AVE
TRUCKS
WITH
OVERWEIGHT
PERMIT

NEW YORK rien que pour vous

Dans les premières images de son film *Manhattan*, Woody Allen essaie en vain de donner une définition de New York ; son impuissance cède finalement la place à la *Rhapsody in Blue* de Gershwin… New York est une ville si indéfinissable et si fascinante qu'il faut répéter son nom comme une incantation pour en saisir la magie et comprendre pourquoi les New-Yorkais en sont fous amoureux ! Ancienne porte du Nouveau Monde, gardée par la sentinelle de la Liberté, elle mérite d'être franchie le temps d'un grand week-end. Carrefour planétaire, New York est un véritable patchwork, et il faut en croquer plusieurs morceaux pour découvrir toutes les saveurs de cette « grosse pomme » découpée en quartiers : le West Village et sa bohème, SoHo et ses boutiques branchées, Chelsea et ses galeries, Downtown et ses banquiers…

Dans les coulisses **du guide**

2013 sur la couverture, ce n'est pas pour faire joli… Vous avez entre les mains la dernière édition de notre guide. Et dernière édition, ça veut dire quoi ? Depuis 15 ans que la collection existe, nous envoyons, systématiquement, un **auteur** sur place, à chaque nouvelle édition. Sa mission ? Dénicher des nouvelles adresses, flairer les tendances, être à l'affût des quartiers qui bougent, bref vous livrer le meilleur de la ville. Et pour les photos, c'est la même chose. Nous avons une équipe de **photographes** qui se charge de réaliser des reportages sur mesure et dédiés uniquement à la collection.

Les expos du moment…

International Center of Photography

Rise and Fall of Apartheid : Photography and the Bureaucracy of Everyday Life

14 septembre 2012 – 6 janvier 2013

À travers près de 500 clichés, films, magazines, livres ou journaux couvrant plus de 60 ans de production visuelle, l'exposition examine l'héritage de l'apartheid en Afrique du Sud et sa façon d'influer sur les divers aspects de la vie sociale dans le pays.

Mais aussi…

Gordon Parks : 100 Years

18 mai 2012 – 6 janvier 2013

Infos pratiques p. 31.

Museum of Modern Art (MoMA)

Tokyo 1955–1970

18 novembre 2012 – 25 février 2013

Entre le milieu des années 1950 et la fin des années 1960, Tokyo, capitale dévastée par la guerre, est devenue un centre artistique, culturel et commercial international, faisant de la ville l'un des plus importants foyers artistiques de l'époque. L'exposition rassemble quelques-unes des œuvres les plus emblématiques de la période.

Infos pratiques p. 35 et 57.

Museum of Arts and Design

Daniel Brush : Blue Steel Gold Light

16 octobre 2012 – 17 février 2013

Pour la première fois, les peintures et dessins de l'artiste seront exposés aux côtés de ses sculptures et bijoux les plus impressionnants. Ces œuvres seront installées dans les deux galeries du 2e étage, une première dans l'histoire du musée : jamais un artiste vivant n'avait occupé l'étage dans sa totalité.

Infos pratiques p. 37.

Solomon R. Guggenheim Museum

Picasso Black and White

18 janv. – 28 avril 2013

L'exploration chronologique et thématique d'une palette de couleurs d'une simplicité trompeuse, entre le noir et le blanc, à travers une centaine de peintures, sculptures et dessins de l'artiste.

The exhibition Zarina : Paper like Skin

5 octobre 2012 – 23 janvier 2013

Première exploration majeure de l'œuvre de l'artiste américaine d'origine indienne Zarina Hashmi, des années 1960 à nos jours. Estampes, gravures, lithographies, mais aussi quelques sculptures en bronze et plusieurs dessins.

Infos pratiques p. 42 et 62.

Metropolitan Museum of Art (MET)

L'impressionnisme et la mode

19 fév. – 27 mai 2013

L'exposition rend compte, à travers les œuvres de nombreux artistes comme Edgar Degas, des attitudes et des modes de « l'homme moderne », dans les années 1860-1880.

Mais aussi…

British Silver : The Wealth of a Nation

15 mai 2012 – 20 janvier 2013

Infos pratiques p. 43 et 63.

Calendrier des événements

Les New-Yorkais adorent les carnavals, les fêtes et les parades. De la fin du printemps au cœur de l'hiver, le calendrier des festivités est bien rempli, et les occasions ne manqueront pas pour passer quelques jours à New York.

Janvier

Winter Antiques Show

La plus prestigieuse foire aux antiquités des États-Unis à Park Avenue Armory.

www.winterantiquesshow.com

Winter Restaurant Week

Les grands restaurants de New York proposent des menus à $24 le midi et $35 le soir pendant une vingtaine de jours. Même opération en juin-juillet avec la **Summer Restaurant Week**.

www.nycgo.com/restaurantweek

Février

Mercedes-Benz Fashion Week

Une semaine de défilés haute couture à Manhattan en février et en septembre.

www.mbfashionweek.com

Empire State Building Run Up

Une course où les athlètes doivent gravir en courant 1 576 marches et atteindre le 86e étage de l'un des plus hauts buildings de New York.

www.nyrr.org

Mars

The Armory Show

Artistes, galeristes et collectionneurs se donnent rendez-vous au Pier 94 pour la Foire internationale de l'art contemporain.

www.thearmoryshow.com

Sing into Spring Festival

Le Printemps du jazz au Lincoln Center met à l'honneur les chanteurs de jazz.

www.jalc.org

Avril

Easter Parade

Le dimanche de Pâques, les New-Yorkais paradent en costumes le long de 5th Ave. (10h-16h, entre 49th et 57th St.).

Infos au ☎ (212) 484 12 22.

TriBeCa Film Festival

Tapis rouge, galas, *drive-in* gratuits et projection d'une centaine de films du monde entier : le festival créé par Robert De Niro est un incontournable !

www.tribecafilm.com

Mai

Cherry Blossom Festival

Fête des Cerisiers en fleur au Jardin botanique de Brooklyn et festival sur la culture japonaise : concerts, mangas…

www.bbg.org

Ninth Avenue Food Festival

Pendant un week-end, toutes les cuisines du monde sont célébrées dans cette foire à ciel ouvert de Hell's Kitchen (9th Ave., entre 42th et 57th St.).

www.ninthavenuefoodfestival.com

Juin

Museum Mile Festival

Un jour par an, dix musées (MET, Guggenheim…) ouvrent leurs portes gratuitement. Animations et concerts sur 5th Ave.

http://museummilefestival.org

Shakespeare in the Park

Pendant huit semaines (juin-juillet), Shakespeare est à l'honneur sur la scène du Delacorte Theatre dans Central Park, et c'est gratuit !

www.publictheater.org

Summer Stage

Tout l'été (juin-août), des concerts pop de haute volée et en plein air à Central Park, gratuits ou payants. Danse et théâtre à East River Park.

www.summerstage.org

Celebrate Brooklyn !

De juin à août, musique, danse, théâtre et projections de films gratuits au kiosque à musique de Prospect Park.

www.bricartsmedia.org

NYC Pride Week

Une semaine de manifestations qui culmine avec la grande parade des communautés homosexuelles sur 5th Ave., le dernier dimanche de juin.

www.nycpride.org

Juillet

Macy's 4th of July Fireworks

Pour la fête de l'Indépendance (4 juil.), le grand magasin Macy's offre un feu d'artifice spectaculaire à partir de 21h.

www.macys.com

Nathan's Hot Dog Eating Contest

Depuis 1916, le 4 juillet, les plus gros mangeurs de hot dogs s'affrontent à Coney Island.

www.nathansfamous.com

Lincoln Center Festival

Musique, danse, théâtre, opéra aux quatre coins de la ville : c'est le festival le plus attendu de l'année !

www.lincolncenterfestival.org

MoMA PS1 Warm Up

Musique live, danse, DJ et accès aux expositions du centre d'art contemporain PS1 dans le Queens.

www.momaps1.org

Août

Fringe Festival

Un festival consacré au théâtre d'avant-garde avec plus de 1 000 performances en deux semaines.

www.fringenyc.org

Lincoln Center Out of Doors

Danse, théâtre et musique : une centaine de spectacles gratuits sur une scène en plein air du Lincoln Center !

new.lincolncenter.org

US Open de tennis

L'un des quatre tournois du grand chelem à Flushing Meadows dans le Queens.

www.usopen.org

Septembre

New York Film Festival

Fin septembre, la Film Society se fait la vitrine du cinéma d'art international et d'avant-garde.

www.filmlinc.com

DUMBO Arts Festival

Trois jours de spectacles de rue et portes ouvertes dans les galeries et les ateliers d'artistes de DUMBO.

www.dumboartsfestival.com

Octobre

Village Halloween Parade

Le soir du 31 octobre, un immense défilé macabre de sorcières et de fées Carabosse longe 6th Ave. (entre Spring St. et 21st St.).

www.halloween-nyc.com

New York Comic Con

Le rendez-vous des amateurs de comics et de pop culture, des *geeks* et des *cosplayers* au Jacob Javits Center.

www.newyorkcomiccon.com

Novembre

New York City Marathon

Rendez-vous le 1er dimanche de novembre pour le plus célèbre des marathons.

www.nycmarathon.org

Open House New York

Des lieux fermés au public ouvrent leurs portes gratuitement un week-end par an.

www.ohny.org

Thanksgiving Day Parade

Le 4e jeudi de novembre, chars et fanfares descendent Broadway pour une des parades les plus prisées de la ville.

Décembre

Christmas Tree Lighting Ceremony

Début déc., illumination du plus grand sapin du monde sur l'esplanade du Rockefeller Center.

New Year's Eve

Pour fêter le passage à la nouvelle année, les New-Yorkais se retrouvent à Times Square pour la célèbre descente de la boule de cristal illuminée. Feux d'artifice à Central Park.

EXPOSITIONS TEMPORAIRES ET INFORMATIONS

- Pour connaître le programme des expositions temporaires ou pour obtenir plus d'informations sur les événements répertoriés, n'hésitez pas à vous rendre sur le site officiel de la ville de New York (www.nycgo.com), ou contactez l'office de tourisme (voir p. 145).
- Les fêtes, festivals et parades des communautés ethniques sont à découvrir en p. 69.

10 expériences **uniques**

❶ Admirer la *skyline* **de Manhattan**

À l'aube ou au coucher du soleil en traversant à pied le Brooklyn Bridge (p. 11) ou en profitant d'un aller-retour gratuit en ferry à Staten Island (p. 145).

❷ Marcher sur les pas **des immigrants du XIXe s.**

En faisant escale à Ellis Island (p. 10) et dans les sombres *tenements* du Lower East Side (p. 16). Poignant !

❸ Prendre **de la hauteur**

Et goûter au panorama légendaire de la terrasse du Rockefeller Center (p. 35) ou siroter un *cosmo* dans les étoiles sur un *rooftop* aménagé en bar (p. 128).

❹ Se mettre au *green* **avec les New-Yorkais**

Flânez au hasard dans les allées de Central Park (p. 39), longez le jardin aérien de la High Line au milieu des buildings (p. 25), dégustez une glace au bord de l'eau à Brooklyn Bridge Park (p. 48) et, en mai, profitez du spectacle des cerisiers en fleurs du Botanic Garden à Prospect Park (p. 49).

❺ *Shop* ***till you drop*** **!**

Ou comment shopper jusqu'à l'épuisement et refaire sa garde-robe chez les jeunes créateurs d'East Village (p. 18), de NoLIta (p. 20) et dans les friperies branchées de Williamsburg (p. 50).

6 En prendre plein les yeux **à Times Square**

Dans un flot étourdissant d'enseignes lumineuses, de néons et d'écrans publicitaires (p. 31).

7 Dans la peau d'un *foodie* **new-yorkais**

On côtoie les grands chefs qui font leurs emplettes à Union Square Greenmarket (p. 29) et Chinatown (p. 14), on fait la queue pour le burger mythique de Shake Shack Burger (p. 84), on goûte les cupcakes de Magnolia Bakery (p. 37), on ose un sandwich géant au pastrami chez Carnegie Deli (p. 85) ou on brunche en lisant le *New York Times* à la Clinton Street Baking Company (p. 78).

8 Vivre une messe gospel **à Harlem**

Au milieu des vieilles dames enchapeautées et des pasteurs zélés (p. 44).

9 Flirter avec l'avant-garde **et se la jouer arty**

Dans les salles du MoMA (p. 35), de PS1 (p. 47) et dans les galeries d'art de Chelsea (p. 26).

10 Se coucher tard **dans la ville qui ne dort jamais**

Héler un taxi sur les trottoirs fumants de Manhattan pour aller faire le plein de jazz à Harlem (Lenox Lounge, p. 45), se mêler à la foule des *hipsters* dans un club *indie* de Williamsburg (p. 133) ou se défouler dans le dernier club fashion de Meatpacking District (p. 131) !

Un grand week-end sur mesure

Première fois à New York ?

Suivez notre programme pour ne rien rater des incontournables de New York… Le guide compte 21 visites réparties dans toute la ville. Évidemment, en trois jours, vous ne pourrez pas faire toutes ces balades. À vous de voir si vous voulez remplacer telle visite par une autre en fonction de vos centres d'intérêt.

JOUR 1 : Au petit matin, prenez le ferry pour la **statue de la Liberté** et **Ellis Island** (optez pour la visite de la seconde ! – p. 10). De retour à Financial District, passez devant le mémorial de **Ground Zero** (p. 11) avant de remonter en métro vers Midtown. Descendez la prestigieuse **5th Avenue**, grimpez en haut du **Top of the Rock** (p. 35) et mesurez-vous aux mythiques **Chrysler Building** (p. 33) et **Empire State Building** (p. 30). Pour finir, plongez dans l'effervescence de **Times Square** *by night* (p. 31) !

JOUR 2 : Selon les goûts, matinée culturelle au **MET** (p. 43), au **MoMA** (p. 35) ou au **Museum of Natural History** si vous êtes avec des enfants (p. 38), suivie d'un pique-nique à **Central Park** (p. 39). L'après-midi sera consacrée au lèche-vitrine du côté de **SoHo** et **NoLIta** (p. 20) avant de faire le plein de *dim sum* à **Chinatown** (p. 14) ou de *knishes* dans le **Lower East Side** (p. 16). En soirée, mêlez-vous à la faune branchée d'**East Village** (p. 18) pour boire un verre.

JOUR 3 : Flânerie dans le quartier mythique du **Village** (p. 22), de vieux cafés en boutiques intimes, avec une pause à **Washington Square Park** pour observer les joueurs d'échecs. On pousse jusqu'au branché **Meatpacking District** (p. 24) pour emprunter la promenade suspendue de la **High Line** jusqu'à **Chelsea** (p. 26). Pause gourmande au **Chelsea Market** ou vernissage dans une galerie d'art, c'est à vous de choisir ! Retour dans le **Village** à la nuit tombée, pour s'accouder au comptoir d'un vieux pub bohème ou vibrer dans un club de jazz.

Déja venu ?

Vous connaissez déjà les incontournables de New York ? Sortez des sentiers battus et explorez les *boroughs* extérieurs, plus authentiques. Arpentez **Harlem** la musicale (p. 44), entre jazz, *soul food* et gospel, paradez dans le **Brooklyn** arty de **DUMBO** et de **Williamsburg** (p. 48 et 50), ou échouez-vous sur la plage de **Coney Island**, avec sa fête foraine surannée et son petit quartier russe de **Little Odessa**. Enfin, le **Museum of the Moving Image** et le **PS1** sont les bonnes surprises d'un **Queens** métissé en plein renouveau (p. 46).

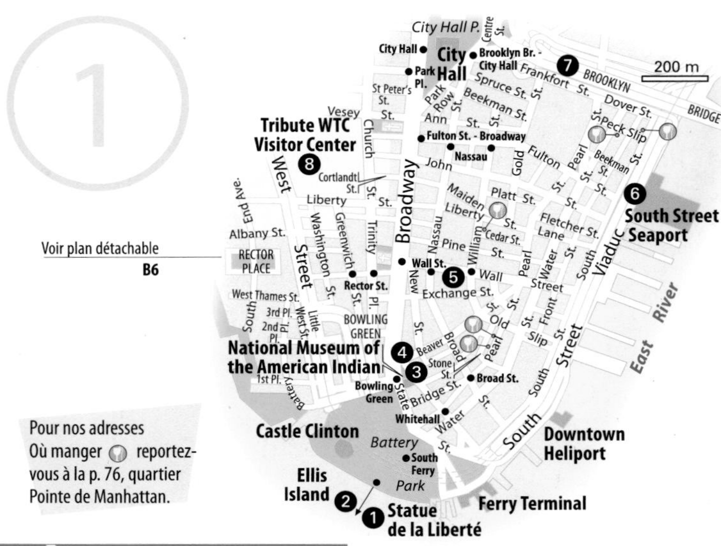

Voir plan détachable

B6

Pour nos adresses Où manger reportez-vous à la p. 76, quartier Pointe de Manhattan.

À la pointe de Manhattan

C'est ici que se trouvent les racines historiques de New York. Dans ce petit quartier, berceau des affaires et du commerce, bat le cœur financier du monde. Vu du ciel, c'est l'une des plus belles images que l'on puisse avoir de New York : les gratte-ciel semblent plantés dans l'eau tandis qu'en face se dresse la statue de la Liberté.

❶ La statue de la Liberté★★★

Ferry pour Liberty Island au départ de Battery Park
Vente des tickets à Castle Clinton
☎ (212) 363 32 00
www.nps.gov/stli
Pour un ticket avec accès piédestal/musée ou couronne (+ $3) : résa obligatoire au moins 2 sem. à l'avance au ☎ 1 877 523 98 49 ou sur www.statuecruises.com
T. l. j. 9h30-17h (traversée 15 min)
Accès gratuit au monument, aller-retour en ferry $13 (plein tarif)
Voir « Pour en savoir plus » p. 52.

Cette œuvre gigantesque d'inspiration néoclassique a été réalisée en 1884 par le sculpteur français Frédéric-Auguste Bartholdi. Gustave Eiffel y laissa aussi son empreinte en construisant la charpente de fer. Brochure, vidéo et planning des activités vous attendent

au point d'information.
Si vous n'avez pas de *pass* pour le musée, vous pouvez faire le tour de l'île avec un garde-forestier (visite guidée gratuite de 45 min) ou louer un audioguide.

❷ Ellis Island★★★

Ferry pour Ellis Island au départ de Battery Park
Vente des tickets à Castle Clinton
☎ (212) 363 32 00
www.nps.gov/elis
Résa au ☎ 1 877 523 98 49 ou sur www.statuecruises.com
T. l. j. 9h30-17h
(horaires réduits en hiver)
Accès gratuit au musée, aller-retour en ferry $13 (plein tarif)
Voir « Pour en savoir plus » p. 53.

L'« Île des Larmes » est devenue un lieu de pèlerinage pour de nombreux Américains : c'est ici qu'ont transité plus de dix-sept millions de personnes entre 1892 et 1954. D'émouvants graffitis ont été conservés sur les murs, et des souvenirs de passagers en transit sont exposés (voir aussi p. 67).

❸ National Museum of the American Indian★★

1 Bowling Green, angle State St.
☎ (212) 514 37 00
www.americanindian.si.edu
T. l. j. 10h-17h (20h le jeu.)
Accès libre.

Cet édifice abrite une importante collection d'art et d'artisanat issue de la culture indienne d'Amérique. Des premières tribus aux artistes contemporains, les expositions dévoilent chaque année une partie de l'immense collection dans le cadre somptueux de l'ancien hôtel des Douanes.

❹ Bowling Green et Charging Bull★

Angle Broadway et Beaver St.

C'est à l'emplacement de ce triangle de verdure que le colon hollandais Peter Minuit aurait acheté l'île de Manhattan aux Algonquins pour la somme de $24 ! Le plus vieux jardin de New York accueille le *Charging Bull*, la célèbre statue de taureau en bronze d'Arturo Di Modica. Toucher les parties intimes de la bête serait gage de prospérité...

❺ Wall Street★★

Cette rue constitue le cœur du Financial District. En partant de Trinity Church sur Broadway, découvrez le hall Art déco de la Bank of New York (n° 1), la Bourse (New York Stock Exchange, 8 Broad St.) ainsi que la façade néoclassique du Federal Hall (n° 26), où George Washington prêta serment en 1789. Perdez-vous ensuite dans le New York colonial au fil des ruelles qui serpentent au sud de Wall St.

❻ South Street Seaport★★

De Water St. à l'East River, entre John St. et Peck Slip
www.southstreetseaport.com

De jolies ruelles pavées et des maisons du XIXe s. blotties autour de l'ancien marché au poisson (Fulton Market) évoquent le riche passé maritime de New York. Investi par les boutiques et les restaurants, le quartier abrite le Seaport Museum, qui retrace l'activité portuaire de la ville (12 Fulton St.,

☎ (212) 748 87 25, www.southstreetseaportmuseum.org, mer.-dim. 10h-18h, $15), et le phare érigé en mémoire du Titanic. Allez observer les navires à quai, près du Pier 17.

❼ Brooklyn Bridge★★

Entrée sur Park Row, à hauteur de Centre St.
Voir « Pour en savoir plus » p. 54.

Traverser le Brooklyn Bridge à pied est un must ! Dessiné en 1867 par John Augustus Roebling et achevé en 1883, ce pont demeure depuis ce jour un des monuments les plus prestigieux et mythiques de New York. Long de près de 2 km, il offre sur Manhattan un panorama unique.

❽ World Trade Center : vers la reconstruction

Tribute World Trade Center Visitor Center
120 Liberty St. – ☎ (212) 393 91 60 (ext. 138) – www.tributewtc.org
Centre d'information et galeries : lun.-sam. 10h-18h, dim. 10h-17h – Entrée plein tarif : $15
***Walking Tour* : dim.-ven. 11h-15h, sam. 11h-16h (une visite par heure) – Entrée plein tarif : $20.**

Depuis les attentats du 11 septembre 2001, l'ancien site du World Trade Center attire de nombreux visiteurs. Les travaux de reconstruction du mémorial Ground Zero comprennent cinq tours, un mémorial, un musée et un complexe culturel. La One World Trade Center, tour centrale du complexe dont les travaux devraient se terminer en 2013, domine d'ores et déjà la ville et culmine à 541 m. Plusieurs sites permettent de s'informer : 9/11 Memorial Preview Site (20 Vesey St.), St Paul's Chapel (209 Broadway) et le TWTC Visitor Center, qui propose des visites guidées (*Walking Tours*).

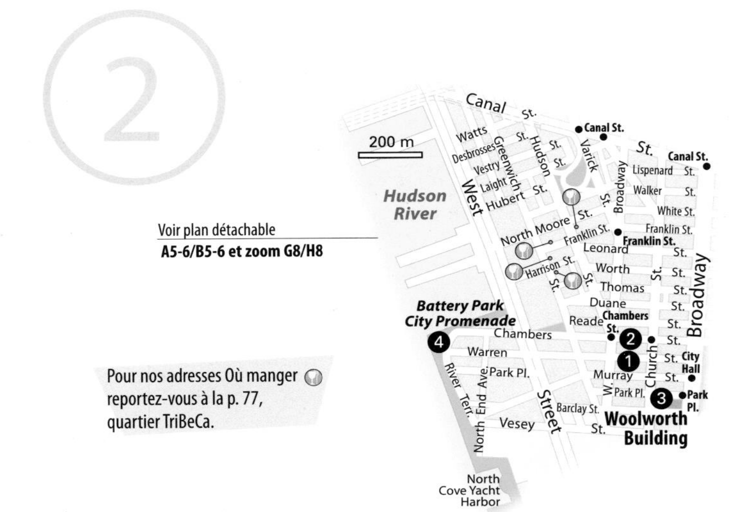

Voir plan détachable
A5-6/B5-6 et zoom G8/H8

Pour nos adresses Où manger reportez-vous à la p. 77, quartier TriBeCa.

TriBeCa

Voisin de SoHo, l'ancien quartier industriel de TriBeCa (Triangle Below Canal Street) accuse les loyers les plus chers de Manhattan. Dans le sillage des artistes (qui sont partis depuis longtemps !), célébrités (Robert De Niro et Harvey Keitel y ont leur société de production), gens de la finance et people ont investi ses vieux entrepôts *(cast-iron buildings)* transformés en lofts ultra-chic. Il fait bon flâner dans ses rues pavées où fleurissent boutiques design, antiquaires, galeries d'art et restaurants branchés.

❶ The Mysterious Bookshop★★

58 Warren St., entre W Broadway et Church St.
☎ (212) 587 10 11
www.mysteriousbookshop.com
Lun.-sam. 11h-19h.

Bienvenue dans l'antre du roman noir, des thrillers, des récits à suspense et des histoires mystérieuses ! Cette librairie qui donne la chair de poule à ses

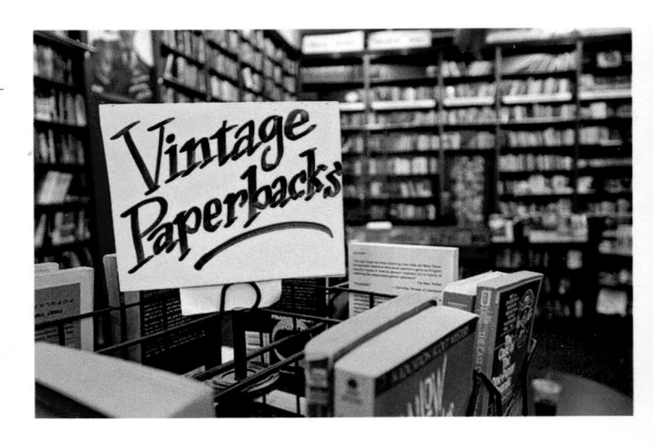

clients depuis 1979 ravira les amateurs du côté obscur avec sa sélection exhaustive de romans policiers (neuf ou occasion, de 7,99 à $25), ses éditions limitées de James Ellroy ou Michael Connelly et la plus grande collection au monde de Sherlock Holmes !

2 Philip Williams Posters★★

122 Chambers St., entre W Broadway et Church St.
☎ (212) 513 03 13
www.postermuseum.com
Lun.-sam. 11h-19h
Accès libre.

Fans de vieilles affiches, voici une adresse pour vous ! Avec plus de 100 000 posters originaux datant de 1870 à nos jours, cette enseigne se place parmi les plus fournies au monde ! Vous pourrez admirer une collection issue de tous les pays avec de magnifiques raretés venues du Japon ou du Pakistan. Publicités, propagandes ou affiches de films, mais également des images plus récentes comme les œuvres de Christo, le choix est absolument immense…

3 Woolworth Building★★

233 Broadway et Barclay St., à la pointe sud de City Hall Park
Ne se visite pas.

Construit en 1913 par l'architecte Cass Gilbert dans un style néogothique, il a été jusqu'en 1930 le plus haut gratte-ciel du monde. Seuls les résidents peuvent profiter de l'élégance des voûtes du hall, décorées de mosaïques bleu, or et vert, mais vous pourrez admirer les sculptures extérieures.

4 Battery Park City Promenade★★

Entrée située tout au bout de Chambers St. en direction de l'Hudson River
www.bpcparks.org

Une agréable façon de faire une pause au bord de l'eau dans ce quartier minuscule qui porte le nom de « Battery Park City ». Le Governor Nelson A. Rockefeller Park, avec ses belles pelouses et sa promenade le long de l'Hudson River, est un bon moyen de s'éloigner des bruits et du rythme infernal de la ville le temps d'une balade. En face de vous, c'est l'État du New Jersey. Si vous traversez le parc du nord au sud, vous découvrirez le point de départ des ferrys pour la statue de la Liberté. Sur votre chemin, vous croiserez un petit port (le North Cove Yacht Harbor) entouré de cafés et de restaurants avec terrasses durant l'été.

TriBeCa film festival

www.tribecafilm.com

Le quartier de TriBeCa est incontestablement celui de Robert De Niro. C'est en effet lui l'instigateur de ce festival devenu en très peu de temps incontournable. À l'origine, en 2002, le festival devait servir à redynamiser un quartier fortement touché – économiquement parlant – par les attentats du 11-Septembre. Tous les ans, au printemps, on y retrouve tous les acteurs célèbres du moment et les réalisateurs les plus en vue. En 2010, c'est un Français, Éric Elmosnino, qui a remporté le prix du meilleur acteur (dans la section World Narrative Competition) pour son rôle dans le film *Gainsbourg (Vie héroïque)* de Joann Sfar.

3

Pour nos adresses Où manger reportez-vous à la p. 77, quartier Chinatown / Little Italy.

Voir plan détachable
B5 et zoom H7-8/I7-8

Chinatown et Little Italy

Bouillonnant d'animation, Chinatown et ses enseignes clinquantes réservent un dépaysement total ! Les produits exotiques débordent sur les étals en plein air, les échoppes fourmillent de pacotille colorée, les canards laqués squattent les vitrines des restaurants éclairées au néon, les contrefaçons sont déballées sur Canal Street et les parties de mah-jong se disputent à Columbus Park, site de Five Points, célèbre taudis du XIXe s. Engloutie par Chinatown, Little Italy se résume aujourd'hui à la seule Mulberry St. . . .

1 Mulberry Street*

Entre Canal St. et Kenmare St.

Il ne reste que bien peu de choses de Little Italy, si ce n'est une quantité de restaurants italiens... plus touristiques qu'authentiques. Autrefois épicentre des rendez-vous mafieux (c'est à l'intérieur du restaurant Umberto's Clam House que Joey Gallo a été assassiné en 1972), Mulberry St. reste tout de même un rendez-vous cher aux Italo-Américains lors des festivités de San Gennaro en septembre (voir p. 69).

2 Allan & Suzi**

237 Centre St., entre Grand St. et Broome St.
☎ (212) 724 74 45
www.allanandsuzi.net
T. l. j. 12h30-18h30.

C'est ici que la plupart des mannequins viennent revendre leurs vêtements de haute couture. On trouve très facilement des tailleurs Alaïa ou Chanel, des robes du soir de Mugler ou de Gaultier. Les vêtements sont toujours en excellent état, et même si ça n'est pas donné (de 20 à $10 000), on peut faire des affaires. Le rayon chaussures est superbe, il mêle modèles classiques chic et modèles excentriques.

3 Museum of Chinese in America**

211-215 Centre St., entre Grand St. et Howard St.
☎ (212) 619 47 85
www.mocanyc.org
Lun. et ven. 11h-17h, jeu. 11h-21h, sam.-dim. 10h-17h
Entrée plein tarif : $7, gratuit jeu.

Plus connu sous le nom de MOCA, ce musée consacré à la communauté américaine d'origine chinoise a investi un bel espace signé Maya

Lin. En plus des expositions temporaires, la collection d'objets, photos, films, lettres, documents sonores, complétée de bornes interactives, évoque l'histoire et la culture des immigrés chinois arrivés aux États-Unis au milieu du XIXe s. et de leurs descendants.

5 Grand Street★★

Entre Chrystie St. et Baxter St.

Les marchés de Grand St. sont réputés pour avoir les meilleurs poissons, fruits et légumes frais de New York. Allez-y le week-end, c'est le moment où tous les Chinois viennent faire leurs courses : vous serez plongé au cœur de l'Asie, entouré d'odeurs alléchantes.

6 Canal Street★

Entre Broadway et Mulberry St.

Canal St. est avant tout réputée pour être le royaume de la contrefaçon (Rolex, Cartier, Prada...). Cependant, n'oubliez pas que l'importation de ces articles est interdite en France, que la qualité est médiocre et que les produits peuvent être dangereux pour la santé. On y trouve aussi des babioles touristiques à prix imbattables.

4 Pour une pause glace : Ferrara

Malgré son côté vieillot, le plus ancien *espresso-bar* des États-Unis (1892) reste un endroit populaire pour prendre un café. On peut y manger des plats chauds, mais on s'y rend surtout pour goûter à l'importante variété de pâtisseries italiennes, de bonbons et de cookies, à consommer sur place ou à emporter. Par beau temps, on peut s'installer dehors et déguster une authentique *gelato* italienne. Une institution !

195 Grand St., entre Mott St. et Mulberry St.
☎ (212) 226 61 50
www.ferraracafe.com
Dim.-ven. 8h-minuit, sam. 8h-1h.

7 Eastern States Buddhist Temple of America★

64 Mott St.
☎ (212) 966 62 29
ou ☎ (212) 925 87 87
T. l. j. 9h-18h
Accès libre.

Pour retrouver un peu de sérénité dans ce quartier animé, rendez-vous devant ce minuscule temple bouddhiste tout de rouge et d'or, un des plus vieux de Chinatown. C'est ici, dans des parfums d'encens, que les dévots viennent s'agenouiller et déposer des offrandes devant une magnifique statue du bouddha Shakyamuni.

8 Aji Ichiban★★

37 Mott St., entre Mosco St. et Pell St.
☎ (212) 233 76 50
T. l. j. 10h-20h.

Voici une petite boutique originale qui fera le bonheur des curieux et des gourmands. Les Chinois étant de grands amateurs de produits séchés, vous y trouverez un large choix de fruits (les mangues séchées sont délicieuses !), mais aussi de poissons et de crustacés marinés comme des cubes de calamars ou des miettes de crabe rôties. N'hésitez pas à goûter !

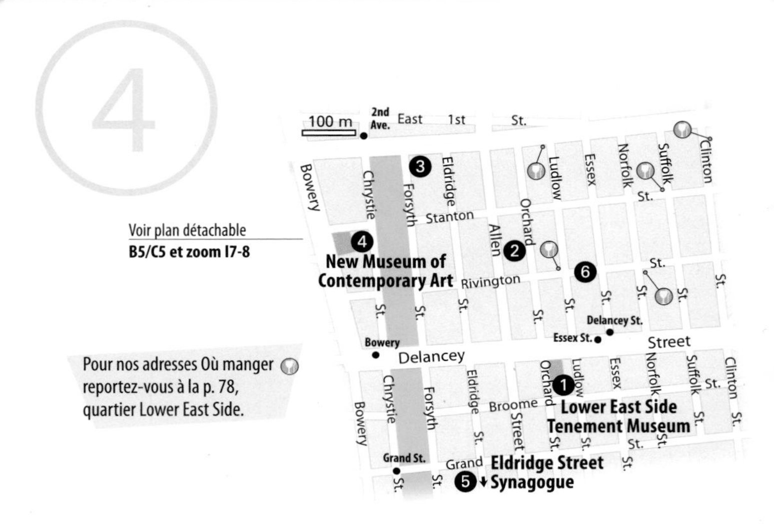

Voir plan détachable
B5/C5 et zoom I7-8

Pour nos adresses Où manger reportez-vous à la p. 78, quartier Lower East Side.

Le Lower East Side

Le Lower East Side (le « LES ») fut le quartier modeste où s'installèrent les premiers immigrants à la fin du XIXe s (voir p. 67). Aujourd'hui, malgré un aspect toujours un peu sinistre par endroits, ce quartier très prisé par les jeunes créateurs et artistes en tout genre connaît un véritable essor économique. À la nuit tombée, les nombreux bars et restaurants branchés attirent les foules.

❶ Lower East Side Tenement Museum★★★

103 Orchard St., angle Delancey St.
☎ (212) 982 84 20
www.tenement.org
Visites guidées uniquement
T. l. j. 10h-17h
Pour les horaires, très variables, voir site Internet
Résa recommandée
Entrée plein tarif : $22.

Le Lower East Side Tenement Museum retrace les conditions de vie des immigrants arrivés à la fin du XIXe s. Dans un vieil édifice au 97 Orchard St., vous visiterez les appartements de deux familles, l'une juive allemande,

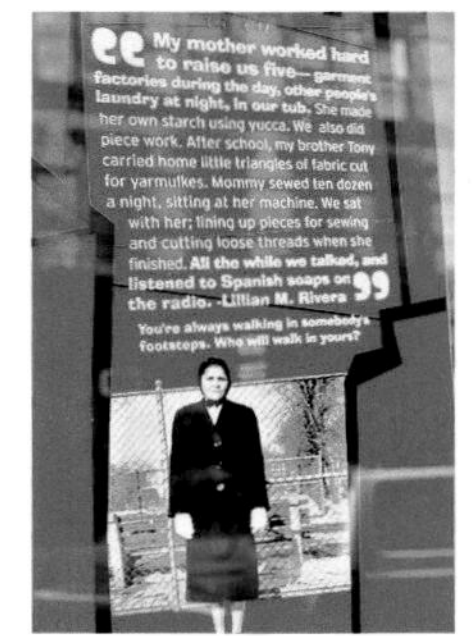

l'autre sicilienne. Ils ont été reconstitués tels qu'ils étaient entre 1880 et 1935. Également de poignantes expositions et vidéos témoignant des difficultés des nouveaux arrivants. Le musée organise aussi des visites du quartier.

❷ Orchard Street Bargain District★

Orchard St., entre Stanton St. et Delancey St.

Dès leur arrivée, les immigrants juifs ont mis en place une véritable industrie du vêtement sur Orchard St. Ils confectionnaient eux-mêmes tissus et habits, puis les présentaient sur des charrettes afin de les vendre. On retrouve encore aujourd'hui cet esprit, même si l'expansion économique du quartier et la montée des loyers tendent à faire disparaître les petits commerçants. Quelques magasins vendent encore des tee-shirts, du tissu ou des articles de cuir à prix intéressants. Attention, certaines boutiques sont fermées le samedi.

❸ Yonah Schimmel's Knishes★★

137 E Houston St., entre Forsyth St. et Eldridge St.
☎ (212) 477 28 58
www.knishery.com
T. l. j. 9h-19h
Environ $3,50.

C'est en 1910 que Yonah Schimmel, jeune rabbin roumain, ouvre cette minuscule boutique afin de vendre une grande spécialité d'Europe de l'Est : les *knishes*. Fourrés aux pommes de terre, graines de sarrasin, épinards, choux, patates douces, champignons ou légumes, ces délicieuses bouchées sont toujours préparées maison et cuites au four dans le sous-sol du magasin.

❹ New Museum of Contemporary Art★★★

235 Bowery, angle Stanton St.
☎ (212) 219 12 22
www.newmuseum.org
Mer. et ven.-dim. 11h-18h, jeu. 11h-21h
Entrée plein tarif : $14, gratuit jeu. 19h-21h.

Inauguré en décembre 2007, ce jeune musée dédié à l'art contemporain offre une

programmation ambitieuse, puisqu'il se consacre en priorité à des artistes méconnus du grand public. Le bâtiment, tout aussi original, a été réalisé par les architectes japonais Sejima et Nishizawa. Il comprend trois immenses galeries principales, un théâtre, un toit aménagé et un café.

❺ Eldridge Street Synagogue★★

12 Eldridge St., entre Canal St. et Division St.
☎ (212) 219 08 88
www.eldridgestreet.org
Dim.-jeu. 10h-17h, ven. 10h-15h
Entrée plein tarif : $10.

Dans le sud du Lower East Side, que Chinatown grignote peu à peu, se cache la première synagogue d'Amérique édifiée par des migrants juifs. Inaugurée en 1887 puis abandonnée dans les années 1920, elle a retrouvé toute sa splendeur après une longue restauration. Elle abrite des concerts, des expositions et un musée sur l'histoire de la communauté juive d'Europe de l'Est qui s'installa dans le quartier à la fin du XIXe s.

❻ Pour une pause bonbons : Economy Candy★★

Cette confiserie *old-fashioned* est une institution tenue par la même famille depuis 1937. Du sol au plafond, des friandises en provenance du monde entier et un choix ahurissant (de 2,99 à $19,99 la livre) ! *Lollipops* (« sucettes »), barres chocolatées, bonbons gélifiés ou à croquer, *halva* et douceurs turques, fruits secs et séchés, distributeurs Pez… C'est l'adresse pour retrouver les bonbons de votre enfance !

108 Rivington St., entre Ludlow St. et Essex St.
☎ (212) 254 15 31
www.economycandy.com
Dim. et mar-ven. 9h-18h, lun. et sam. 10h-17h.

Pour nos adresses Où manger reportez-vous à la p. 78, quartier East Village, et à l'encadré 24h/24 p. 82.

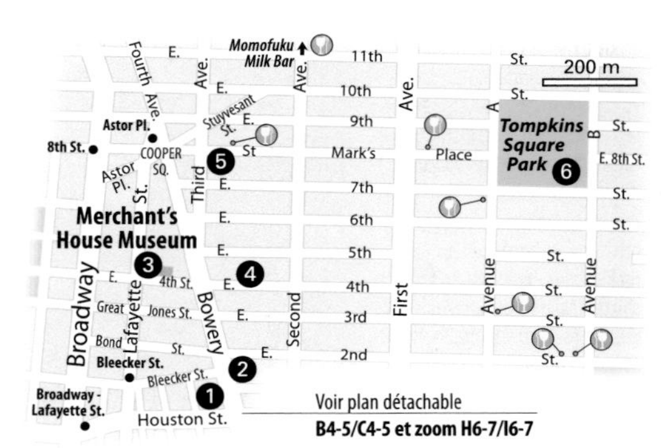

L'East Village, un quartier excentrique et branché

Investi par les jeunes et les artistes, l'East Village est un quartier unique où il règne, durant la journée, une certaine tranquillité en marge du reste de la ville. Les rues regorgent de minuscules boutiques de jeunes créateurs, de fripe ou de brocante, mais attention, elles ouvrent rarement avant midi ! 9th St. (entre Ave. A et 2nd Ave.) reflète bien cette ambiance au charme particulier. Le soir, avec sa multitude de bars et de restaurants, le quartier se transforme, attirant les foules aux looks multiples et variés.

❶ Patricia Field★

302 Bowery
☎ (212) 966 40 66
www.patriciafield.com

Lun.-jeu. 11h-20h, ven.-sam. 11h-21h, dim. 11h-19h.

La boutique de Patricia Field, la célèbre Vivienne Westwood new-yorkaise, est un must en matière d'extravagance ! Gadgets et accessoires les plus fous, fripes dénichées on ne sait où et, bien sûr, la ligne de vêtements de la créatrice aux allures très provocatrices sont là pour vous surprendre (de 2 à $2 000 !). Au sous-sol, chaussures et salon de coiffure,

au cas où vous voudriez changer de look…

❷ John Varvatos★★

315 Bowery St., entre E 1st St. et E 2nd St.
☎ (212) 358 03 15
www.johnvarvatos.com
Lun.-sam. 12h-20h, dim. 12h-18h.

La superbe boutique du créateur américain a investi l'ancien club mythique CBGB où se sont produits Blondie, The Ramones,

Talking Heads ou encore Sonic Youth. Si les graffitis et les vieilles affiches sont toujours là, l'esprit punk a lui disparu, car même si la mode masculine s'inscrit toujours dans une tendance rock-*preppy*, les prix, eux, ne sont pas très rock'n'roll... Également, tee-shirts vintage Iggy Pop ou Alice Cooper (de 150 à $500), vinyles, livres sur le rock et amplis.

❸ Merchant's House Museum★★

29 E 4th St., entre Lafayette St. et Bowery St.
☎ (212) 777 10 89
www.merchantshouse.com
Jeu.-lun. 12h-17h, visite guidée lun. et ven. 14h
Entrée plein tarif : $10.

Intacte, cette élégante demeure de style fédéral construite en 1832 appartenait au riche commerçant Seabury Tredwell. L'architecture intérieure néogrecque, le mobilier américain d'origine, les affaires personnelles et les costumes d'époque nous plongent dans la vie quotidienne d'une famille de l'*upper middle class* au XIXe s.

❹ Pageant Print Shop★★

69 E 4th St., entre Bowery St. et 2nd Ave.
☎ (212) 674 52 96
Mar.-sam. 12h-20h, dim. 13h-19h.

Fondé en 1946, Pageant Print fait partie des magasins les plus réputés en matière de cartes et lithographies d'époque. Tous les documents sont originaux. Une véritable mine d'or pour ceux qui s'intéressent à l'histoire de la ville (et du reste du monde), et une bonne façon de découvrir l'évolution d'un quartier ! Également un grand choix d'anciennes lithos sur des thèmes variés (animaux, architecture, mode, design...).

❺ Trash & Vaudeville★★

4 St Mark's Place, angle 3rd Ave.
☎ (212) 982 35 90
www.trashandvaudeville.com
Lun.-jeu. 12h-20h, ven. 11h30-20h30, sam. 11h30-21h, dim. 13h-19h30.

Ce magasin atypique, tenu par des vendeurs percés et tatoués, propose deux étages de vêtements (tee-shirts dès $25), gadgets et accessoires tendance punk/gothique/années 1980, mais pas à n'importe quel prix ! Autrefois épicentre de la contre-culture, des artistes en marge et des jeunes anarchistes, St Mark's Place change peu à peu de visage... Trash & Vaudeville nous replonge dans ces années-là. À voir.

❻ Tompkins Square Park★

Véritable centre de rassemblement de la communauté hippie menée par le mouvement Hare Krishna dans les années 1960,

Tompkins Square était ensuite devenu, autour des années 1980, le point de repère des trafics de drogue... Aujourd'hui, ce parc est avant tout un espace vert apprécié par les habitants du quartier, et surtout par les propriétaires de chiens qui profitent de son *Dog Run* (le plus vieux de la ville !), seul endroit où leurs bêtes peuvent s'amuser et courir sans être tenues en laisse !

Community gardens★

Parmi les curiosités les plus surprenantes de New York, il y a les *community gardens*. Ce sont de petits jardins occupés et gérés par les habitants du quartier opposés à la construction de nouveaux immeubles. Entre 1st Ave. et Ave. D, l'East Village en est constellé. Tentez le 6th Street et Avenue B Community Garden, charmant chaos de fleurs et de plantes potagères (concerts, expositions et ateliers y sont organisés pendant l'été) ou le 9th Street Community Garden and Park (angle Ave. C) avec son jardin japonais.

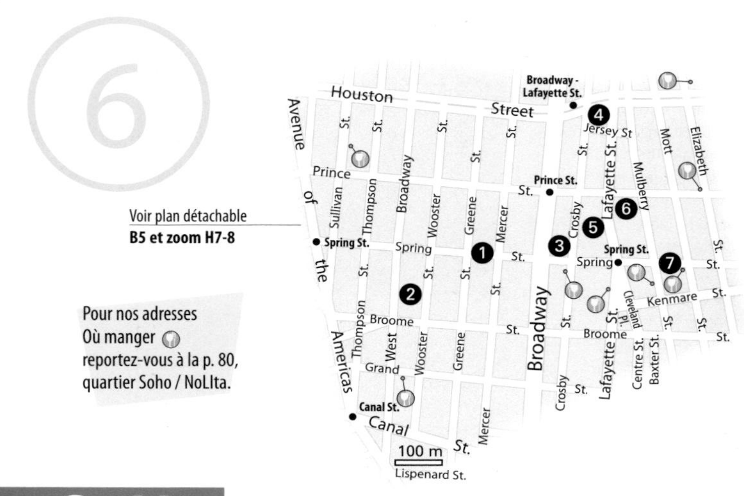

Voir plan détachable
B5 et zoom H7-8

Pour nos adresses
Où manger
reportez-vous à la p. 80,
quartier Soho / NoLIta.

SoHo et NoLIta

Classé zone historique par la ville de New York, SoHo (littéralement « South of Houston ») est un quartier en perpétuelle mutation. Aujourd'hui, les galeries d'art ont quasiment toutes disparu et ont laissé place aux boutiques de renom, aux restaurants et aux bars branchés un rien snobs ! Prenez le temps d'observer l'architecture unique des anciens entrepôts et usines à devantures en fonte *(cast-iron buildings)*, transformés de nos jours en superbes lofts.
À l'est de SoHo, le quartier de NoLIta (North Of Little Italy) arbore davantage des allures de village et renferme de belles surprises.

❶ Evolution★★

120 Spring St., entre Greene St. et Mercer St.
☎ (212) 343 11 14
www.theevolutionstore.com
T. l. j. 11h-19h.

Vous serez accueilli à l'entrée par un squelette, histoire de vous mettre dans l'ambiance ! Cette boutique, qui ressemble davantage à un musée d'histoire naturelle, regorge de surprises à vous donner la chair de poule. Outre les traditionnels animaux empaillés, on y trouve une véritable collection de crânes, os et squelettes complets

du genre humain, des insectes énormes à accrocher dans votre maison de campagne, et pour vos enfants, ne ratez pas les sucettes aux vers ($2) ou aux scorpions ($4).

❷ Anthropologie★★★

375 W Broadway, entre Broome St. et Spring St.
☎ (212) 343 70 70
www.anthropologie.com
Lun.-sam. 11h-21h,
dim. 11h-20h.

Au sein d'un gigantesque loft aménagé en grenier

chic, Anthropologie propose des vêtements pour femme à la fois ultra-féminins et décontractés (comptez environ $170 pour une robe). On y trouve aussi de la lingerie, de la vaisselle et des petits objets de décoration (boutons de porte, cadres...) aux allures de brocante.

❸ MoMA Design Store★★★

81 Spring St., angle Crosby St.
☎ (646) 613 13 67
www.momastore.org
Lun.-sam. 11h-21h, dim. 11h-19h.

Une superbe collection de reproductions d'objets contemporains (vases, assiettes, bijoux, lampes...) ainsi que des gadgets très originaux ! Également une vaste collection de beaux livres au sous-sol ainsi qu'un stand de la marque japonaise Muji. Le magasin idéal si vous avez un cadeau à faire !

❹ Bess★★

292 Lafayette St., entre Houston St. et Prince St.
☎ (212) 219 07 23
http://stores.bess-nyc.com
Mar.-dim. 12h-19h.

Amateurs de kitsch, cette boutique totalement délirante vaut le coup d'œil. Dans une esthétique très *eighties*, à mi-chemin entre le heavy-métal, le disco et l'iconographie gay, le créateur new-yorkais Doug Abraham customise des vêtements improbables. Paires de Converses, Docs et Creepers peinturlurées côtoient vestes en jean ou en cuir cloutées, pantalons panthère, tee-shirts provocateurs ($90) et Perfectos fluo.

❺ Amarcord★★★

252 Lafayette St., entre Prince St. et Spring St.
☎ (212) 431 41 61
www.amarcordvintage fashion.com
Lun.-sam. 12h-19h30, dim. 12h-19h.

Patti Bordoni et Marco Liotta ont fait de leur petite boutique de NoLIta l'antre chic de la mode vintage italienne des années 1940 à 1980. De leurs fréquents voyages, ils rapportent vêtements, chaussures (entre 75 et $300), sacs et accessoires signés Roberto Cavalli, Versace, Pucci, Fendi ou Valentino. Une sélection pointue qui a valu à la coqueluche des magazines de mode d'habiller les actrices de *Sex and the City*.

❻ Mc Nally Jackson★★★

52 Prince St., entre Lafayette St. et Mulberry St.
☎ (212) 274 11 60
www.mcnallyjackson.com
Lun.-sam. 10h-22h, dim. 10h-21h.

Faites le plein de culture dans l'une des meilleures librairies indépendantes de New York ! On passerait des heures dans les rayonnages à feuilleter les ouvrages (dès $15) : design, graphisme, littérature américaine, voyages, livres sur le New York underground, littérature gay, magazines du monde entier... L'atmosphère reposante se prolonge dans le petit café tapissé de pages de bouquins et de livres suspendus au plafond.

❼ Pour une pause riz au lait : Rice to Riches★★

Avec son décor quasi psychédélique, Rice to Riches est l'adresse incontournable des amateurs de riz au lait. Vous n'aurez sans doute jamais vu autant de variétés ! Préparés quotidiennement et présentés dans des grands bols pas toujours appétissants à regarder, mais qui renferment pourtant des saveurs inoubliables : mangue-citron vert, tiramisu, rhum-raisins, coco...
Comptez environ $6 la part.

37 Spring St., entre Mulberry St. et Mott St.
☎ (212) 274 00 08 – www.ricetoriches.com
Dim.-jeu. 11h-23h, ven.-sam. 11h-1h.

Voir plan détachable
A4-5/B4-5 et zoom G6-7/H6-7

Pour nos adresses Où manger reportez-vous à la p. 81, quartier Greenwich Village / West Village, et à l'encadré 24h/24 p. 82.

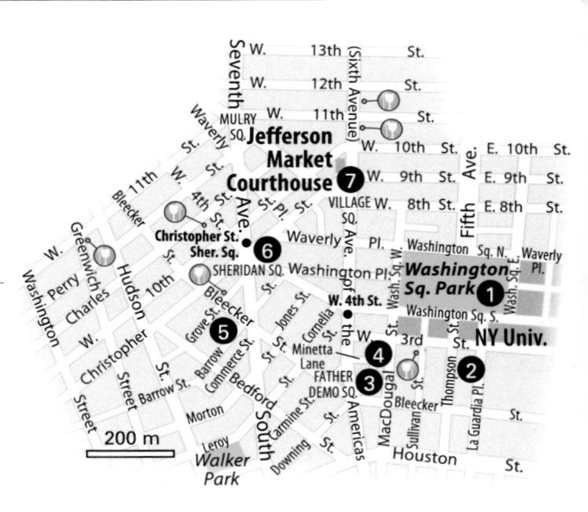

Greenwich Village et West Village, balade romantique

Certes, le Village n'a plus rien d'anticonformiste et s'est même embourgeoisé, mais il demeure l'un des quartiers les plus charmants de Manhattan avec son architecture désordonnée. Au fil des allées étroites et arborées, des boutiques insolites et des cafés à l'ancienne, on songe aux Pollock, Burroughs, Kerouac et Dylan qui l'ont habité. Truffé de restaurants, théâtres d'avant-garde, bars et clubs de jazz, il abandonne son ambiance bohème le soir venu pour laisser place à une activité nocturne trépidante.

❶ Washington Square Park★★

C'est ici, cœur intellectuel et artistique du Village, que se retrouvent les personnages les plus insolites : danseurs de rue, joueurs d'échecs, bateleurs ou poètes. Cédé par les Hollandais aux esclaves affranchis, le terrain a ensuite servi pour les parades militaires. Un arc de triomphe rappelle aujourd'hui le premier centenaire de la présidence de George Washington (1889). Tout autour s'élèvent les principaux bâtiments de l'Université de New York, fondée en 1831.

❷ Village Chess Shop★★

230 Thompson St., entre Bleecker St. et W 3rd St.
☎ (212) 475 95 80
www.chess-shop.com
T. l. j. 24h/24.

Si vous êtes passionné de jeu d'échecs, vous ne pourrez trouver meilleur endroit dans tout New York ! Vous aurez la possibilité d'affronter les meilleurs joueurs locaux (il paraît que David Lee Roth et Yoko Ono y viennent régulièrement), tout en savourant un excellent café. Le magasin possède une immense collection de jeux d'échecs, inspirés du *Seigneur des anneaux*, des Simpsons ou de la guerre de Sécession

(de $5 pour un échiquier de poche à $4 500 pour un échiquier florentin du XVe s. avec ses pièces en bronze).

❸ Native Leather★★

203 Bleecker St., entre MacDougal St. et 6th Ave.
☎ (212) 614 32 54
Mar.-ven. 12h-20h, sam. 12h-21h, dim. 13h-19h.

Les vitrines surchargées de ce magasin n'incitent pas forcément le visiteur à entrer. Ne vous y fiez pas ! Une fois à l'intérieur, vous serez propulsé au Far West. Vestes, gilets, chapeaux, ceintures, sacs et sacoches, une multitude d'articles en cuir de très haute qualité, faits main ici même ou tout droit venus du cœur de l'Amérique. Difficile de ne pas craquer… Les sacs en bandoulière taillés dans un cuir brut très épais sont magnifiques (env. $300), et les chapeaux de cowboy, type Stetson, sont irrésistibles (env. $70).

❺ Grove Street et ses alentours★★★

Dans cette charmante rue bordée d'arbres, loin des grandes avenues bruyantes de la City, de jolies maisons en bois datant du XIXe s. s'alignent les unes à côté des autres. L'angle avec Bedford St. est connu sous le nom de Twin Peaks du fait de sa double toiture. Toujours sur Grove St., au niveau de Hudson St., une magnifique et minuscule allée pavée nommée Grove Court. Autre curiosité à découvrir, la plus petite maison de New York située au 75 1/2 Bedford St. (angle Commerce St.), dans laquelle plusieurs célébrités auraient vécu, dont Cary Grant.

❹ Pour une pause cinéphile gourmand : Caffé Reggio★★

L'endroit attire les touristes (des scènes du *Parrain* et des *Sopranos* y ont été tournées), mais ce vieux café italien est toujours prisé des habitants et des étudiants du quartier. Le décor tout en boiseries et copies de tableaux de maîtres italiens ne semble pas avoir bougé depuis son ouverture en 1927. C'est ici que fut servi le premier cappuccino des États-Unis, et depuis la tradition perdure… Env. $5,50 le *Reggio's special coffee.*

119 MacDougal St., entre W 3rd St. et Minetta Lane
☎ (212) 475 95 57
www.cafereggio.com
Lun.-jeu. 8h-3h, ven.-sam. 8h-4h30, dim. 9h-3h.

❻ Sheridan Square★

George Segal a érigé ici, face au général nordiste Philip Sheridan, deux statues de couples homosexuels (hommes et femmes), en l'honneur du *Gay Rights Movement*. Depuis l'émeute de 1969, le West Village demeure l'un des fiefs de la communauté homosexuelle, et une *Gay and Lesbian Pride March* y est organisée tous les ans, au mois de juin, pour la reconnaissance de leurs droits (voir p. 5).

❼ Jefferson Market Courthouse★★

425 Ave. of the Americas, angle 10th St.
☎ (212) 243 43 34
www.nypl.org
Lun. et mer. 10h-20h, mar. et jeu. 11h-18h, ven.-sam. 10h-17h
Accès libre.

À sa construction en 1877, ce palais de justice gothique victorien fut désigné comme l'un des dix plus beaux édifices des États-Unis. Il était assorti d'une prison pour femmes, et l'actrice Mae West y fut jugée en 1927 pour atteinte à la pudeur. Transformé en bibliothèque en 1967, « Old Jeff » et sa jolie tour à horloge a vu défiler nombre d'écrivains et de poètes. Un symbole du Village !

8

Voir plan détachable
A4 et zoom G6

Pour nos adresses
Où manger reportez-vous à la p. 82, quartier Meatpacking District.

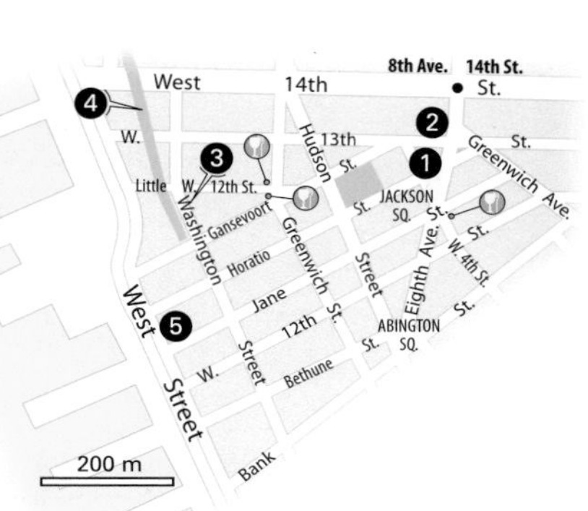

Meatpacking District, le « Far West » chic et branché

Autrefois épicentre du marché de la viande (le Gansevoort Market renfermait même un abattoir), ce petit périmètre d'une vingtaine de pâtés de maisons seulement à l'extrémité de West Village est aujourd'hui devenu un des lieux les plus en vue de Manhattan ! Ses anciens hangars se sont transformés en luxueuses boutiques de mode, en restaurants branchés ou en boîtes de nuit. Un décalage surprenant...

❶ Darling★★★

1 Horatio St., angle 8th Ave.
☎ (212) 367 37 50
www.darlingnyc.com
Lun.-mer. et sam.12h-19h, jeu.-ven. 12h-20h, dim. 12h-18h.

Les New-Yorkaises fleur bleue viennent y dénicher la robe de leur rêve. Après une carrière de costumière à Broadway, Ann French Emonts a ouvert ce boudoir romantique pour exposer

ses robes d'inspiration rétro baptisées Marylin, Audrey ou Jackie (de 98 à $495). Une belle sélection de marques connues et de créateurs locaux côtoie pièces vintage, accessoires et lingerie fine pour s'offrir le plus beau des décolletés. So glamour !

❷ Soapology★★

67 8th Ave., entre 13th et 14th St.
☎ (212) 255 76 27
www.soapology.net
T. l. j. 10h-22h.

Une charmante boutique qui propose une large gamme de soins pour le visage et pour le corps faits maison à base de produits naturels. Un bar à huiles essentielles vous permet également de créer votre propre lotion en mêlant vos parfums préférés. Gardénia, concombre, sucre vanillé, tabac et caramel ou encore pamplemousse... elles sont toutes divines ! Essayez leur beurre pour le corps (*buttercream*), il est absolument extraordinaire (env. $28).

❸ Iris★★

827 Washington St., angle Little W 12th St.
☎ (212) 645 09 50
www.irisnyc.com
Mar.-ven. 11h-19h, sam. 10h-19h, dim. 12h-18h.

Marc Jacobs, Chloé, Véronique Branquinho, Viktor & Rolf, Paul Smith ou encore Jil Sander. Les cendrillons branchées se chaussent ici avec du haut de gamme et surtout des modèles exclusifs, introuvables dans le reste de la ville (env. $350 la paire). En plus, des boots aux stilettos, les collections sont complètes ! La qualité est absolument irréprochable (les modèles sont tous fabriqués en Italie), et les prix, en conséquence, assez élevés.

❹ The High Line★★★

De Gansevoort St. à W 30th St.
www.thehighline.org
☎ (212) 500 60 35
T. l. j. 7h-19h.

Suspendue à 9 m de hauteur le long du West Side, cette ancienne voie ferrée des années 1930 a été transformée en parc, un peu à la façon de la

promenade plantée parisienne. Dans une tendance zen, les sentiers de béton serpentent parmi les plantations sauvages et les œuvres d'art exposées temporairement. La hauteur offre des perspectives inédites sur l'architecture de la ville et sur l'Hudson River, magiques au coucher du soleil ! Vous croiserez tout au long de la promenade tables, bancs et terrasses pour profiter pleinement de ce coin de verdure.

❺ Pour une pause vintage : Cafe Gitane★★

L'annexe du célèbre café de NoLIta a trouvé refuge au sein du Jane Hotel : un espace ravissant et lumineux, parsemé de meubles vintage dépareillés, avec une belle vue sur l'Hudson River. Enfoncez-vous dans un gros fauteuil de velours pour siroter un thé à la menthe ou attablez-vous pour son brunch très couru (cuisine franco-marocaine). Dans ce repaire des looks branchés, on croise aussi des célébrités...

113 Jane St., angle West St.
☎ (212) 255 41 13
www.cafegitanenyc.com
Dim.-jeu. 7h-minuit, ven.-sam. 7h-1h
Plats de 10 à $15.

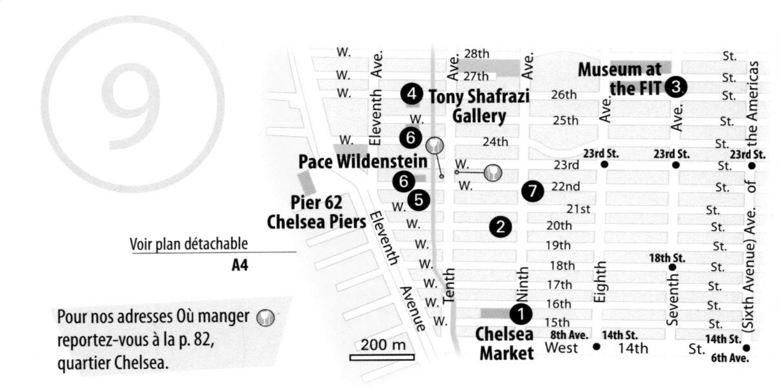

Voir plan détachable
A4

Pour nos adresses Où manger reportez-vous à la p. 82, quartier Chelsea.

Chelsea, le royaume de l'art contemporain

Même si Chelsea (second fief de la communauté homosexuelle) est réputé pour sa vie nocturne grâce à ses nombreux clubs, ce quartier est avant tout l'épicentre des galeries d'art contemporain. On n'en dénombre pas moins de 350 ! Elles sont situées à l'ouest de 10th Avenue, entre 20th et 29th St. Certaines sont au niveau de la rue, d'autres dans des lofts en étage. Allez-y, elles ne manquent pas de créativité. Pour en avoir la liste et le programme, rendez-vous sur le site www.oneartworld.com

1 Chelsea Market★★

75 9th Ave., entre W 15th et W 16th St.
www.chelseamarket.com
Lun.-sam. 7h-21h, dim. 8h-19h.

Le Chelsea Market est un charmant marché couvert regroupant de nombreux magasins et restaurants. Un lieu unique, à mi-chemin entre le site historique, la galerie d'art et l'entrepôt underground. Au milieu de ces longues allées de murs de briques roses, agrémentés de tableaux et d'expositions de photos, des petits commerçants incontournables : **Fat Witch Bakery** pour ses succulents brownies, **Eleni's** pour ses inimitables cookies,

Amy's Bread pour ses pains bio, et **Ronnybrook Farm Dairy** pour ses glaces et ses petites bouteilles de lait.

2 Cushman Row★

406-418 W 20th St.
Situées dans le quartier historique de Chelsea, les maisons de Cushman Row donnent un bel aperçu de l'expansion du quartier, qui s'est produite dans les années 1850. Ce développement urbain cessa trente ans plus tard, lorsqu'une ligne de chemin de fer aérien fut construite,

masquant malheureusement la vue et la lumière aux logements qui le bordent. Néanmoins, la rue est encadrée de jolies maisons de style néogrec (ici on dit *greek revival*), très simples et élégantes. Une architecture atypique dans un tel quartier.

❸ Museum at the FIT★★

7th Ave., angle W 27th St.
☎ (212) 217 45 58
www.fitnyc.edu/museum
Mar.-ven. 12h-20h, sam. 10h-17h
Accès libre.

Le Fashion Institute of Technology (FIT) possède la plus grande collection de tissus et de costumes au monde. Son musée est entièrement consacré à la mode et à son histoire. Au fil des expositions temporaires, vous apprendrez les fondements principaux des grandes industries de mode et découvrirez les différentes influences ethniques. Certains travaux de jeunes créateurs très prometteurs sont également exposés.

❹ Tony Shafrazi Gallery★★★

544 W 26th St., entre 10th et 11th Ave., étage 2R
☎ (212) 274 93 00
www.tonyshafrazigallery.com
Mar.-sam. 10h-18h
Accès libre.

Tony Shafrazi, galeriste mythique du duo Warhol et Basquiat, et découvreur de Keith Haring, possède sans doute l'une des galeries les plus en vue du quartier. Un grand escalier vous mènera à trois belles salles où les expositions sont brillamment orchestrées. Parmi les artistes exposés, Francis Bacon, David LaChapelle, Andy Warhol, Donald Baechler, Jean-Michel Basquiat et, bien sûr, Keith Haring.

❺ Comme des Garçons★★★

520 W 22nd St., entre 10th et 11th Ave.
☎ (212) 604 92 00
www.comme-des-garcons.com
Lun.-sam. 11h-19h, dim. 12h-18h.

Même si on n'a pas l'intention de se ruiner avec les irrésistibles créations du couturier japonais Rei Kawakubo, il faut pousser la porte (en forme d'œuf !) de cette superbe boutique. Passé le tunnel en aluminium, on se croirait dans une galerie d'art, tout à fait dans l'esprit du quartier, où les vêtements architecturaux sont exposés comme des œuvres d'art dans un labyrinthe aux formes ondulantes.

❻ Pace Wildenstein★★★

• 545 W 22nd St.
☎ (212) 989 42 58
• 534 W 25th St.
☎ (212) 929 70 00
www.thepacegallery.com
Mar.-sam. 10h-18h
Accès libre.

Pace Wildenstein a ouvert sa première galerie à Boston en 1960. Depuis, il a monté plus de 500 expositions présentant l'œuvre de plus de 200 artistes. Il possède deux galeries à Chelsea aux proportions remarquables et une troisième Midtown (32 E 57th St., 2e étage – B2). Parmi les artistes exposés, Mark Rothko, Isamu Noguchi, Alexander Calder, Alex Katz, Antoni Tàpies, Joel Shapiro et Zhang Huan.

❼ Pour une pause goûter : Billy's Bakery

Les parfums de gâteaux embaument cette pâtisserie rétro aux couleurs pastel où les New-Yorkais font le plein de pâtisseries américaines traditionnelles : tartes aux pommes, cupcakes, cookies et cheesecakes à l'ancienne (autour de $5 la part). Un vrai délice !

184 9th Ave., entre W 21st et W 22nd St.
☎ (212) 647 99 56
www.billysbakerynyc.com
Lun.-jeu. 8h30-23h, ven.-sam. 8h30-minuit, dim. 9h-22h.

10

Pour nos adresses Où manger reportez-vous à la p. 83, quartier Madison Square / Union Square, et à l'encadré 24h/24 p. 82.

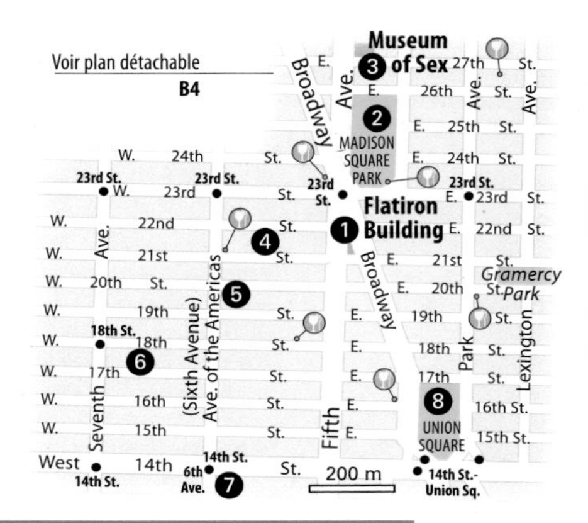

De Madison Square à Union Square

Au XIXe s., 5th et 6th Avenues étaient surnommées « Ladies' Mile », car elles regroupaient une forte concentration de boutiques de mode et de grands magasins. Aujourd'hui, ce quartier doté d'un grand nombre de beaux bâtiments d'époque est toujours très agréable pour se balader et faire du shopping pendant la journée. Autour de Union Square et sur Park Avenue South, de nombreux bars et restaurants comptent parmi les plus chic et branchés de la ville.

1 Flatiron Building★★★

175 5th Ave., angle Broadway
Accès libre.

À l'angle où se croisent Broadway et 5th Avenue s'élève le premier immeuble de vingt et un étages qui a inauguré l'ère des gratte-ciel

à New York : le Fuller Building (du nom de ses premiers propriétaires). Rebaptisé par la suite le Flatiron, c'est-à-dire le « fer à repasser », il a été construit en 1902 par Daniel H. Burnham. Son architecture en lame de couteau, très originale et novatrice pour l'époque, est décorée de plaques d'acier ornées de motifs inspirés de la Renaissance italienne (pour en savoir plus sur l'architecture new-yorkaise, voir p. 64 et 72).

2 Madison Square Park★★

5th Ave., entre 23rd et 26th St.
www.madisonsquarepark.org
T. l. j. 6h-minuit.

Avec le Flatiron Building en arrière-plan, ce ravissant petit parc est agréable pour faire une pause et observer les New-Yorkais : hommes d'affaires, jeunes mamans et leur progéniture, poètes en quête d'inspiration et amateurs de yoga composent un joyeux mélange. Au sud, le kiosque de Shake Shack avec ses airs de guinguette est pris d'assaut pour ses cheeseburgers inoubliables (voir p. 84).

3 Museum of Sex★★

233 5th Ave., angle E 27th St.
☎ (212) 689 63 37
www.museumofsex.com
Dim.-jeu. 10h-20h, ven.-sam. 10h-21h
Entrée : $17,50 + taxe.

Vous pourrez aller jeter un œil aux expositions temporaires

axées sur l'histoire, l'évolution et la portée culturelle des pratiques sexuelles, acheter des gadgets sexy et rigolos ou vous faire concocter un élixir d'amour à l'Aphrodisiac Café OralFix au sous-sol.

④ Abracadabra★★

19 W 21st St., entre 6th et 5th Ave.
☎ (212) 627 75 23
www.abracadabrasuperstore.com
Lun.-sam. 11h-19h, dim. 12h-17h.

À mi-chemin entre la caverne d'Ali Baba, un palais de conte de fées, une scène de spectacle et un musée, Abracadabra vous fera tantôt rire, tantôt frissonner. Des farces et attrapes et des gadgets, mais surtout quantité de monstres, sorcières et morts vivants tout droit sortis de films d'horreur ! Le propriétaire du magasin récupère ces étranges créatures sur des tournages et des fêtes foraines. Plus vrai que nature !

⑤ Limelight Marketplace★★

6th Ave., angle 20th St.
☎ (212) 255 21 44
www.limelightmarketplace.com
Lun.-sam. 10h-21h, dim. 11h-19h.

Le mythique club des années 1990, le Limelight, renaît sous la forme d'un centre commercial. Terminé les danseuses aux seins nus dans les cages, les lumières rouges et l'ambiance décadente du lieu, place à une multitude de boutiques et de restaurants branchés. Ici, pas de H&M, mais des enseignes comme Soapology, Face Stockholm ou encore Therapie New York (idéal si vous êtes à la recherche d'un petit cadeau).

⑦ Urban Outfitters★★

526 Ave. of the Americas, angle 14th St.
☎ (646) 638 16 46
www.urbanoutfitters.com
Lun.-sam.10h-22h, dim. 11h-20h.

Ne quittez pas New York sans être passé chez Urban Outfitter, une chaîne de magasins qui s'est fait une belle réputation. Vous y trouverez des vêtements aux allures de fripes pour hommes et femmes (tee-shirts entre 20 et $40), des accessoires, des livres, des gadgets et même des objets de décoration. Le tout destiné essentiellement à une clientèle jeune et branchée, tendance *hipster*.

⑧ Union Square Greenmarket★★

Union Square sur Broadway et E 17th St.
www.grownyc.org/unionsquaregreenmarket
Lun., mer., ven.-sam. 8h-18h.

Il est rare de trouver à New York de vrais marchés. Celui-ci est l'un des plus sympathiques, et les grands chefs de la ville viennent s'y fournir. Des dizaines de petits producteurs y vendent leurs produits. Fruits, légumes, pains, vins ou confitures, tout est biologique et artisanal. Également un vaste choix de fleurs.

⑥ Movie Star News★★

134 W 18th St., entre 6th et 7th Ave.
☎ (212) 620 81 60 – www.moviestarnews.com
Lun.-ven. 10h30-18h30, sam. 10h-18h.

Derrière ce hall de garage se dissimule une des meilleures boutiques de photos et d'affiches de collection de New York. Ce n'est certes pas le seul magasin de la ville, mais c'est ici que vous dénicherez les affiches de films les plus rares : Cassavetes, Buñuel, les grands classiques des années 1940 et 1950, Russ Meyer… bref, une mine pour les collectionneurs, à des prix plus que raisonnables (de 10 à $15).

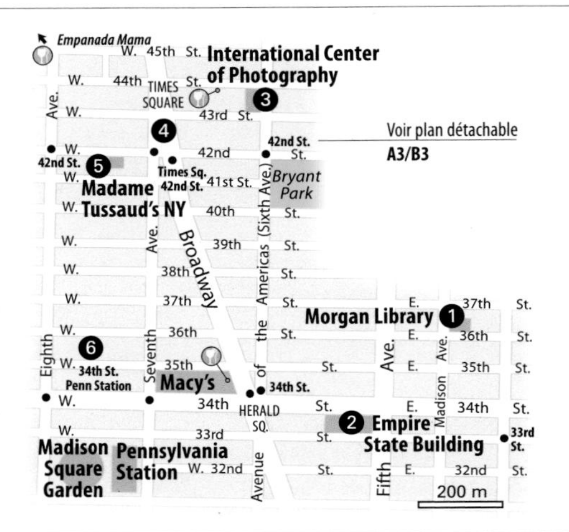

Pour nos adresses Où manger reportez-vous à la p. 84, quartier Empire State Building / Times Square.

De l'Empire State Building à Times Square

Vous entrez ici dans un quartier de légende et de démesure avec l'Empire State Building, le gratte-ciel le plus mythique des États-Unis, et surtout Times Square, le carrefour le plus féerique de New York. Des écrans géants projetant émissions de télévision, publicités ou animations jaillissent de chaque façade. De l'opulence tournant au véritable spectacle !

❶ Morgan Library★★

225 Madison Ave., angle 36th St.
☎ (212) 685 00 08
www.themorgan.org
Mar.-jeu. 10h30-17h, ven. 10h30-21h, sam. 10h-18h, dim. 11h-18h
Entrée plein tarif : $15, gratuit ven. 19h-21h.

Ce palais dans le style de la Renaissance italienne a été construit pour J. Pierpont Morgan, en 1902, afin d'abriter ses collections de livres rares, dont quelques milliers datent de la Renaissance et du Moyen Âge. Récemment agrandie par l'architecte Renzo Piano, la Morgan Library abrite aussi des partitions originales de grands compositeurs comme Mozart, Beethoven ou Puccini, ou encore un des vingt-deux exemplaires originaux de la Déclaration d'indépendance américaine de 1776. Des expositions temporaires y sont organisées.

❷ Empire State Building★★★

350 5th Ave., angle 34th St.
☎ (212) 736 31 00
www.esbnyc.com
T. l. j. 8h-2h (dernier ascenseur à 1h15)
Entrée plein tarif : $22
Voir « Pour en savoir plus » p. 55.

L'« Empire » n'est pas le gratte-ciel le plus haut du monde, mais il est toujours aussi prestigieux. Construit en moins de deux ans au début de la crise des années 1930, haut de 381 m (sans l'antenne), il compte

102 étages. Le meilleur moment pour aller y faire une visite est sûrement un soir de beau temps, lorsque le soleil se couche dans le brouillard du New Jersey et que les lumières de New York scintillent. La queue la plus longue est au deuxième niveau, où vous devez attendre un ascenseur qui vous mènera au 86e étage (supplément pour le 102e). Prenez votre mal en patience, la vue en vaut la peine ! Pour en savoir plus sur l'architecture new-yorkaise, voir p. 64 et 72.

❸ International Center of Photography★★★

1133 Ave. of the Americas, angle 43rd St.
☎ (212) 857 00 00
www.icp.org
Mar.-jeu. et sam.-dim. 10h-18h, ven. 10h-20h,
Entrée plein tarif : $12.

Fondé en 1974 par Cornell Capa (le frère de Robert), ce centre fait partie des hauts lieux d'exposition de la ville. Le photojournalisme y est très présent, mais le centre propose également des expos thématiques ou sur des sujets plus vastes comme l'œuvre d'un ou de plusieurs artistes. Henri Cartier-Bresson, Weegee ou Man Ray y ont été exposés. Également des cours, des conférences et une boutique très bien fournie en beaux livres.

❺ Madame Tussaud's New York★★

234 W 42nd St., entre 7th et 8th Ave.
☎ 1 866 841 3505
www.madametussauds.com
Dim.-jeu. 10h-20h, ven.-sam. 10h-22h
Entrée plein tarif : $36 (-15 % si achat en ligne).

Le fameux musée de cire londonien, Madame Tussaud's, a également pris ses quartiers à New York. Il est divisé en plusieurs parties et le must de la visite est l'« Opening Night Party » mettant en scène des célébrités américaines lors d'un cocktail. Le naturel de certaines d'entre elles est surprenant ! Morgan Freeman, Elton John ou Woody Allen vous prendront au piège... La partie retraçant la Révolution française est aussi très réaliste, alors attention à la sensibilité des enfants...

❹ Times Square★★★

Broadway, entre W 42nd St. et W 47th St.
Times Square Visitor Center : 1560 Broadway, entre 46th et 47th St.
☎ (212) 484 12 22
www.timessquarenyc.org
T. l. j. 8h-18h.

Impossible de séjourner à New York sans faire une halte à ce carrefour mythique, de préférence à la nuit tombée. Toutes les grandes comédies musicales, les célèbres *Broadway shows*, y ont lieu. Il vous suffit de lever la tête pour admirer le spectacle qui s'offre à vous : des centaines d'enseignes lumineuses, toutes plus *flashy* les unes que les autres, brillent de toutes parts. Les chaînes NBC et ABC retransmettent leurs programmes en direct sur écran géant, et vous pouvez voir les studios de la chaîne musicale MTV à l'angle de 45th St.

❻ Moss★★★

256 W 36th St., entre 7th et 8th Ave., 10e étage
☎ (212) 204 71 00
www.mossonline.com
Lun.-ven. 11h-18h.

Comment améliorer votre intérieur ? En donnant un nouveau look aux objets de tous les jours. De la salle de bains au bureau en passant par la cuisine, Moss sélectionne des créations de designers du monde entier : vase mou en polyuréthane, étagères qui semblent onduler... Des merveilles qui sont, ou seront, des classiques du design. En revanche, la nouveauté a un prix...

12

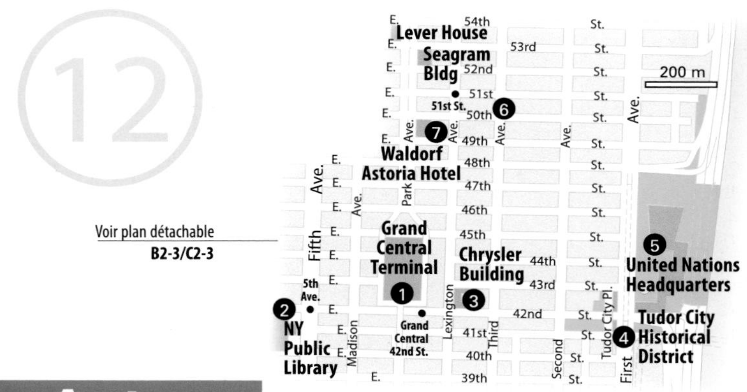

Voir plan détachable
B2-3/C2-3

Autour des Nations unies

Midtown East est un quartier très cosmopolite où vit aussi un grand nombre de diplomates du fait de la proximité des Nations unies. On y trouve également une forte concentration de gratte-ciel très particuliers : des tours de verre datant du milieu du XXe s., comme le Seagram Building (375 Park Ave.) ou le Lever House (390 Park Ave.).

❶ Grand Central Terminal★★★

E 42nd St., angle Park Ave.
☎ (212) 935 39 60
www.grandcentralterminal.com
• Visite audioguidée $7 (guichet dans le Grand Hall) : t. l. j. 9h-18h (résa : ☎ (212) 340 23 47)
• Visite guidée : mer. (donation $10 environ) et ven. (gratuit) à 12h30 (résa le mer. : ☎ (212) 935 39 60 et le ven. : ☎ (212) 883 24 20).

La gare de Grand Central est un véritable petit bijou d'architecture que l'on ne pense pas toujours à aller visiter ! Ouverte depuis 1913 et rénovée en 1998, elle a conservé tout son prestige. L'immense hall principal, avec sa célèbre peinture représentant la constellation du zodiaque d'hiver sur toute la largeur du plafond, est très impressionnant ! Divers magasins se sont installés dans les galeries, dont le Grand Central Market, très apprécié des New-Yorkais.

❷ New York Public Library★★

5th Ave., niveau W 42nd St.
☎ (917) 275 69 75
www.nypl.org
Lun. et jeu.-sam. 10h-18h, mar.-mer. 10h-20h, dim. 13h-17h
Accès libre.

Deux grands lions veillent sur la plus importante bibliothèque publique du pays après celle du Congrès de Washington DC. Inauguré en 1911, ce chef-d'œuvre de la période Beaux-Arts abrite la sublime Reading Room, où l'on peut consulter l'un des onze millions d'ouvrages au catalogue. Parmi les trésors, une copie de la Déclaration d'indépendance signée de la main de Jefferson.

❸ Chrysler Building★★★

405 Lexington Ave., angle 42nd St.
☎ (212) 682 30 70
Accès libre, dans le hall, lun.-ven. 8h-18h.

Conçu par l'architecte William Van Alen et construit entre 1928 et 1930, il devint le building le plus haut du monde (320 m) jusqu'à ce que l'Empire State vienne le détrôner un an plus tard. Véritable chef-d'œuvre de style Art déco, le Chrysler Building est commandé par la célèbre entreprise américaine d'automobiles du même nom. La partie supérieure, avec sa flèche haute de 30 m, symbolise toute la beauté et la puissance de l'œuvre (pour en savoir plus sur l'architecture new-yorkaise, voir p. 64 et 72).

❹ Tudor City Historical District★★

Entre 1st et 2nd Ave., puis E 40th et E 43rd St.

Ce périmètre fait partie des curiosités de New York. Conçu entre 1925 et 1929, ce quartier doit son nom à la dynastie des Tudors, et notamment au style architectural développé durant son règne. Ces douze immeubles, bâtis autour d'un charmant jardin, vous donneront l'impression d'être dans un palace de Hampton Court en Angleterre ! Considéré comme « une ville dans la ville », Tudor City est un petit havre de paix.

❺ United Nations Headquarters★★★

Visitor's Center : 1st Ave., niveau E 46th St.
☎ (212) 963 86 87
www.un.org
• Visite guidée : lun.-ven. 9h45-16h45 toutes les 30 min
• Visite audioguidée : lun.-ven. 9h45-16h45, sam.-dim. 10h-16h15
Entrée plein tarif : $16 (interdit aux enfants de moins de 5 ans).

Construit entre 1947 et 1952, le site du quartier général des Nations unies est composé de plusieurs bâtiments dont la magistrale tour vitrée : la Secretariat Tower. La visite guidée vous offre l'occasion de pénétrer dans des lieux hautement symboliques et mythiques, comme le General Assembly Hall. Des expositions thématiques sur des sujets sensibles sont présentées ainsi que divers objets d'art venus des différents pays membres de l'Organisation.

❼ Waldorf Astoria Hotel★★

301 Park Ave., entre E 49th et E 50th St.
☎ (212) 355 30 00.

Il faut pénétrer dans le hall de cet hôtel légendaire inauguré en 1931, magnifique témoignage de l'Art déco new-yorkais. De nombreux films y ont été tournés ainsi que des scènes des séries *Mad Men* et *Gossip Girl*. Pour les accros, une visite guidée avec lunch dans l'un des restaurants de l'hôtel est proposée tous les jeudis et samedis à 11h30 (résa au ☎ (212) 872 12 75, $50).

❻ Pour une pause bagel : Ess-a-Bagel★★

Voici une excellente adresse pour découvrir et déguster ces petits pains ronds qui sont si célèbres sur le territoire nord-américain ! Plusieurs saveurs vous sont proposées : nature *(plain)*, complet, cannelle et raisins, sésame, graines de pavot *(poppy seed)* ou oignons... Pas moins de douze variétés qu'il est possible de manger sur place ou à emporter. Idéal en sandwich avec le célèbre *cream cheese-saumon (nova scotia)* ou avec des mariages plus inattendus comme olive-tofu. Un régal !

831 3rd Ave., angle E 51st St.
☎ (212) 980 10 10
www.ess-a-bagel.com
Lun.-ven. 6h-21h, sam.-dim. 6h-17h
Bagel nature à $1, + 2 à $10 selon la garniture.

13

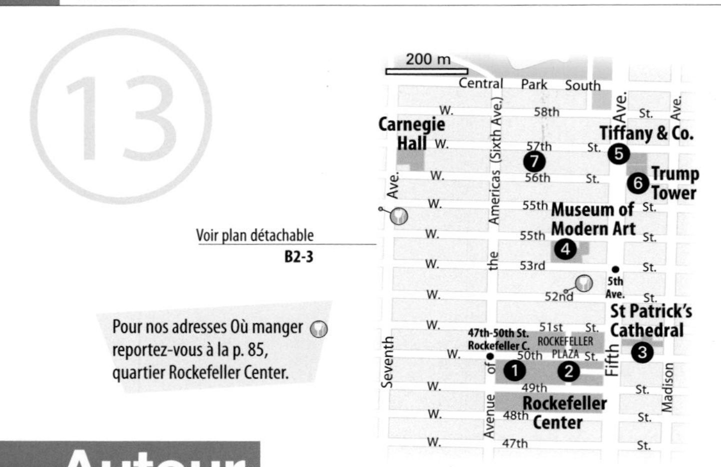

Voir plan détachable
B2-3

Pour nos adresses Où manger reportez-vous à la p. 85, quartier Rockefeller Center.

Autour du Rockefeller Center

Ce quartier est le paradis du shopping… Entre le Rockefeller Center, véritable ville dans la ville, 5th Avenue, avec sa multitude de magasins prestigieux, les musées de 53rd St. et les innombrables gratte-ciel, vous ne saurez plus où donner de la tête !

❶ Rockefeller Center★★

30 Rockefeller Plaza
De W 48th St. à W 51st St., entre 5th et 6th Ave.
☎ (212) 632 39 75
www.rockefellercenter.com
• Visite guidée du Rockefeller Center : $15
T. l. j. 10h-16h (toutes les heures)
☎ (212) 664 37 00
• Visite guidée des studios de NBC : $24
☎ (212) 664 37 00
Lun.-jeu. 8h30-16h30, ven.-sam. 9h30-17h30, dim. 9h30-16h30 (toutes les 15 min)
• Visite guidée du Radio City Hall : $ 19,95
☎ (212) 465 60 80
www.radiocity.com
T. l. j. 11h-15h.

Conçu par John D. Rockefeller Jr dans les années 1930, cet immense complexe architectural ne comprend pas moins de dix-huit immeubles (dont le célèbre Radio City Music Hall, superbe cinéma Art déco reconverti en salle de spectacles) et une immense galerie marchande avec de multiples restaurants. En hiver, la place centrale, ornée de la célèbre statue de Prométhée, est transformée en patinoire et décorée d'un sapin géant. La chaîne de télévision NBC est également installée dans ce complexe. Mais le clou du spectacle reste le Top of the Rock (voir ci-après)… Pour en savoir plus sur l'architecture new-yorkaise, voir p. 64 et 72.

❷ Top of the Rock★★★

30 Rockefeller Plaza,
entrée 50th St.
70e étage
☎ (212) 698 20 00
www.topoftherocknyc.com
T. l. j. 8h-minuit (dernier ascenseur à 23h)
Entrée plein tarif : $25.

La plate-forme d'observation du Top of the Rock offre sur toute la ville un panorama à couper le souffle ! Sa situation lui donne une vue plongeante sur l'ensemble de Central Park (ce qui n'est pas le cas depuis l'Empire State Building). Avant votre ascension jusqu'à la terrasse, vous aurez droit à une séance de photo-montage qui vous permettra de prétendre avoir volé dans les airs…

❸ St Patrick's Cathedral★★

5th Ave., entre E 50th et E 51st St.
☎ (212) 753 22 61
www.saintpatrickscathedral.org
T. l. j. 6h30-20h45
Visites guidées gratuites
Voir « Pour en savoir plus » p. 56.

La plus célèbre église de New York est aussi la plus grande cathédrale catholique des États-Unis ! Son architecture néogothique (elle fut achevée en 1878) rappelle celle des cathédrales européennes. Ce sont des artisans de Chartres et de Nantes qui ont réalisé la plupart des vitraux.

❹ Museum of Modern Art (MoMA)★★★

11 W 53rd St., entre 5th et 6th Ave.
☎ (212) 708 94 00
www.moma.org
Mer.-lun. 10h30-17h30 (20h ven.), f. j. de Thanksgiving et Noël
Entrée plein tarif : $25, gratuit ven. 16h-20h
Voir « Pour en savoir plus » p. 57.

Majestueusement rénové et agrandi, le Museum of Modern Art, simplement appelé MoMA, est l'un des plus beaux musées de la ville ! Il regroupe un large éventail d'art moderne et contemporain avec près de 100 000 œuvres et des artistes comme Miró, Picasso, Matisse, Van Gogh pour la peinture, Giacometti pour la sculpture, Rodtchenko pour la photographie… Tous les plus grands sont exposés ici.

❺ Tiffany & Co.★★

757 5th Ave., angle E 57th St.
☎ (212) 755 80 00
www.tiffany.com
Lun.-sam. 10h-19h, dim. 12h-18h.

Tout a commencé à la fin du XIXe s. quand Louis Comfort Tiffany créait ses fameuses lampes (que vous pouvez voir au New-York Historical Society, p. 38) et ses sensationnels bijoux de style Art nouveau. La bijouterie Tiffany est désormais une institution, qui compte parmi ses designers Paloma Picasso, Elsa Peretti ou l'architecte Frank O. Gehry.

❻ Trump Tower★

725 5th Ave., angle E 56th St.
☎ (212) 832 20 00
T. l. j. 9h-18h.

L'ex-golden boy Donald Trump a donné son nom à cette tour de verre de cinquante huit étages, qu'il fit construire en 1983 par l'architecte Der Scutt. Les appartements sont loués par des célébrités de passage, comme Steven Spielberg. Le hall d'entrée abrite un atrium d'une hauteur de cinq étages recouvert de marbre rose d'Italie. À l'extérieur, un jardin suspendu se niche sur les parois de verre. Pour les amateurs de bling-bling ou de kitsch !

❼ Pour manger sur le pouce : Mangia

Mangia représente à merveille ce qu'est le *salad bar,* concept si typique à New York. Suivant le principe du buffet, vous aurez le choix entre des sandwichs, des pizzas, des plats chauds et autres mets déjà préparés ou des salades à composer vous-même. Tout est très bon et le choix est colossal.

50 W 57th St., entre 5th et 6th Ave.
☎ (212) 582 58 82 – Lun.-ven. 7h-20h, sam. 8h-18h
Assiette composée : env. $12 les 500 g
Sandwich : env. $8.

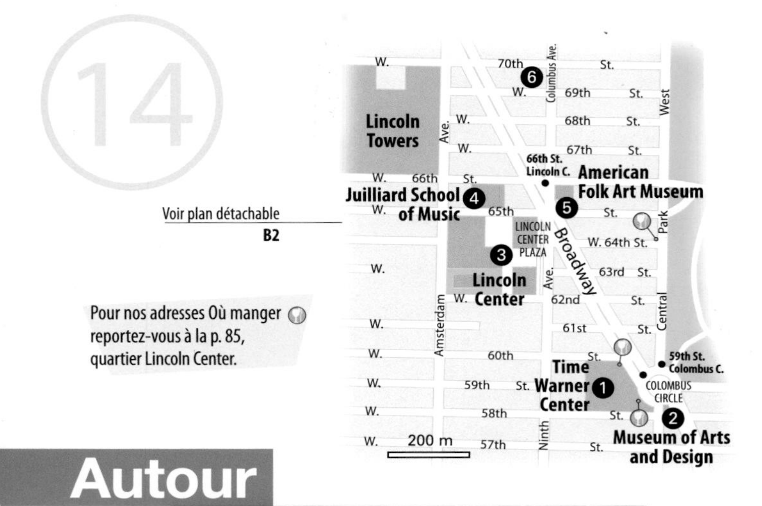

Voir plan détachable
B2

Pour nos adresses Où manger reportez-vous à la p. 85, quartier Lincoln Center.

Autour du Lincoln Center

Ce quartier a souvent été décrit comme le fief des intellectuels. Or, il est difficile de définir son âme tant les populations y sont mélangées ! C'est un quartier tout aussi séduisant que l'Upper East Side, mais nettement moins branché, où règne une ambiance chaleureuse et festive due à une grande concentration de salles de spectacle.

❶ Time Warner Center★★

10 Columbus Circle
☎ (212) 823 63 00
www.shopsatcolumbuscircle.com
Lun.-sam. 10h-21h, dim. 11h-19h
Accès libre.

Le Time Warner Center est une des constructions les plus récentes et les plus spectaculaires de la ville (pour en savoir plus sur l'architecture new-yorkaise, voir p. 64 et 72). Il abrite les locaux de la chaîne CNN, des boutiques, bars et restaurants haut de gamme, des expositions d'art, ainsi que le nouveau siège du Jazz at Lincoln Center. Au sous-sol, le supermarché biologique **Whole Foods Market** a prévu un coin repas afin que vous puissiez déguster à toute heure de succulentes préparations sucrées ou salées, ou tout simplement siroter un cocktail de fruits frais pressés. Les carnivores déjeuneront au **Porter House** (4e étage) et profiteront de la vue sur Central Park.

❷ Museum of Arts and Design★★★

2 Colombus Circle
☎ (212) 299 77 77
www.madmuseum.org
Mar.-mer. et sam.-dim. 11h-18h, jeu.-ven. 11h-21h
Entrée plein tarif : $15, *pay what you wish* jeu 18h-21h.
Le musée des Arts (entendez artisanat) et du Design a ouvert ses portes en 2008 au sein d'un magnifique bâtiment face à Central Park. Neuf niveaux comprenant la collection permanente (des créations en céramique, en bois, en métal, des dessus-de-lit, des vêtements...), des expositions temporaires, un auditorium, un centre éducatif et un restaurant situé au dernier étage. À voir !

❸ Lincoln Center★★★

Accueil visiteurs : David Rubinstein Atrium Broadway, angle 62nd St.
☎ (212) 875 54 56 (infos)
www.lincolncenter.org
Lun.-ven. 8h-22h, sam.-dim. 9h-22h.
Bâti dans les années 1960, ce gigantesque et prestigieux complexe culturel attire des spectateurs du monde entier. Il comprend, entre autres, le **Metropolitan Opera House**, l'un des opéras les plus célèbres du monde, l'**Avery Fish Hall**, siège du fameux orchestre philarmonique de New York, le **David H. Koch Theatre**, fief du New York City Ballet et du City Opera, et le **Lincoln Theatre**. Profitez des concerts gratuits au David Rubinstein Atrium (tous les jeu. et 1er sam. du mois). Cafés, boutiques et restaurants sur le campus.

❹ Juilliard School of Music★★

155 W 65th St.
☎ (212) 799 50 00
www.juilliard.edu
- **Box office : lun.-ven. 11h-18h**
- **Visites guidées (1h environ) : lun.-ven. 11h45.**

Fondée en 1905, cette prestigieuse école a eu comme étudiants de célèbres ténors de la musique contemporaine, tel que Philip Glass, et de nombreux solistes, tels que Leonard Rose ou Barbara Hendricks. On y enseigne également la danse et le théâtre. L'école propose par ailleurs des concerts et des récitals gratuits, donnés par les élèves ou les enseignants.

❺ American Folk Art Museum★★

2 Lincoln Square, à l'angle de Columbus Ave. et 66th St.
☎ (212) 595 95 33
www.folkartmuseum.org
Mar.-sam. 12h-19h30, dim. 12h-18h
Accès libre.
Ce musée est consacré à l'héritage de l'art populaire américain, dont il témoigne à travers des objets très variés comme des tissus, des sculptures, des kilts ou des peintures datant des XVIIIe et XIXe s. Des expositions temporaires permettent aussi de découvrir des artistes méconnus du grand public.

❻ Pour une pause *Sex and the City* : Magnolia Bakery★★

La pâtisserie rendue célèbre par les héroïnes de *Sex and the City* invite à la pause goûter ! Dans un décor délicieusement rétro, vous ne résisterez pas à l'envie de croquer dans un de leurs fameux cupcakes aux parfums caramel, noix de coco, banane ou chocolat (de 3 à $3,50). L'adresse originelle se situe au 401 Bleecker St. (A4).
200 Columbus Ave., angle 69th St.
☎ (212) 724 81 01
www.magnoliacupcakes.com
Dim.-jeu. 7h30-22h, ven.-sam. 7h30-minuit.

15

Voir plan détachable
A1

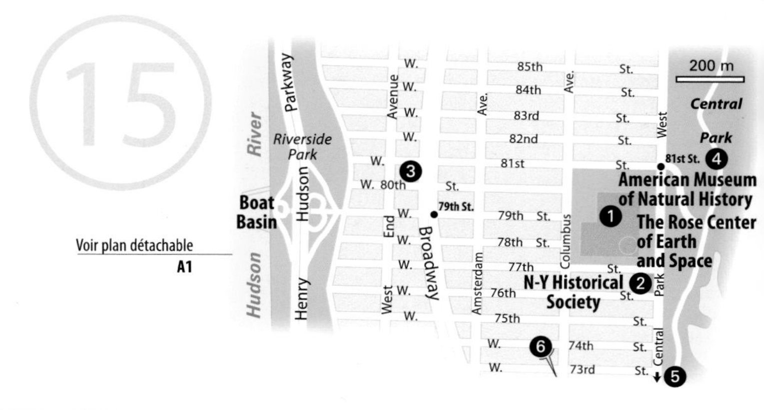

Central Park West

Dans cette partie de l'Upper West Side, l'ambiance est détendue. Les rues retrouvent un certain calme loin des gratte-ciel. Les New-Yorkais semblent prendre le temps de vivre, profitant pleinement de Central Park, le poumon de la ville, ou des bords de l'Hudson River, le temps d'une balade le long du Riverside Park. Par temps d'été, prenez un verre ou mangez un hamburger au Boat Basin Café (au niveau de W 79th St.), un pur moment de plaisir…

❶ American Museum of Natural History★★★

Central Park West, angle 79th St.
☎ (212) 769 51 00
www.amnh.org
T. l. j. 10h-17h45
Donation suggérée : $19 ($33 avec expos temporaires et attractions)
Voir « Pour en savoir plus » p. 58.

Le plus grand musée d'Histoire naturelle du monde couvre à lui seul quatre pâtés de maisons ! Environ 32 millions de pièces sont exposées et réparties dans plusieurs sections : biologie, anthropologie, écologie et sciences naturelles. Le plus impressionnant reste néanmoins les nouvelles salles consacrées aux dinosaures, des spécimens remodelés grandeur nature ! À côté,

The Rose Center for Earth and Space est un gigantesque planétarium. Une salle de cinéma IMAX projette également d'intéressants programmes sur les sciences naturelles et des expositions temporaires.

❷ New-York Historical Society★★

170 Central Park West, angle 77th St.
☎ (212) 873 34 00
www.nyhistory.org
Mar.-jeu. et sam. 10h-18h, ven. 10h-20h, dim. 11h-17h
Entrée plein tarif : $15.

Le Musée historique est aussi le plus vieux de New York (1804). Les expositions changent constamment, et on trouve dans les collections permanentes les fameuses lampes de Tiffany, des lithographies de la jambe de bois du gouverneur Morris ainsi qu'une mèche de cheveux de George Washington ! Une partie du musée est consacrée à la vraie Pocahontas, popularisée par le film de Walt Disney.

❸ Zabar's★

2245 Broadway, angle 80th St.
☎ (212) 787 20 00
www.zabars.com
Lun.-ven. 8h-19h30, sam. 8h-20h, dim. 9h-18h.

Respirez le fumet qui émane de la boutique, et vous comprendrez pourquoi la majorité des New-Yorkais considère Zabar's comme le paradis sur terre ! Tout le monde s'accorde à dire que c'est le meilleur *delicatessen* de la ville. Ne ratez surtout pas le rayon des ustensiles de cuisine : prix très abordables (dès $12) et produits d'excellente qualité.

Vous trouverez également un café pour une dégustation sur place.

❹ Central Park★★★

Parc : t. l. j. 6h-1h
Entrées au niveau 59th St. (sud) ; 110th St. (nord) ; 60th, 65th, 72nd, 79th, 84th, 96th, 102nd St. (est) ; 66th, 72nd, 77th, 81st, 85th, 96th, 100th, 106th St. (ouest)
Infos touristiques : *Dairy Visitor Center* (au milieu du parc, au niveau de 65th St.)
☎ (212) 794 65 64
www.centralpark.com
T. l. j. 10h-17h
Voir « Pour en savoir plus » p. 59.

Avec plus de 340 ha, Central Park est la bouffée d'oxygène des New-Yorkais ! Ils y viennent

pour se détendre ou pour faire du sport. La terrasse du **Belvedere Castle** (en face du musée d'Histoire naturelle) vous offre une vue imprenable sur la ville. Le **Loeb Boathouse** (au niveau de E 74th St.) vous permet de louer un petit bateau ou de faire un tour de gondole sur le lac. En hiver, le **Wollman Rink** (au niveau de E 64th St.) se transforme en une immense patinoire. Les nostalgiques ne manqueront pas le **Strawberry Fields** (au niveau de W 72nd St.), conçu en l'honneur de John Lennon, qui vivait non loin de là, et les fans de Dustin Hoffman monteront jusqu'au **Reservoir** (W 86th St.) pour observer les joggers, qui leur rappelleront des scènes du film *Marathon Man*.

❺ Dakota Building★

W 72nd St., angle Central Park West.

La prestigieuse adresse aux allures de forteresse fut le premier complexe d'appartements de luxe de New York. Achevé en 1884 et immortalisé par Polanski dans *Rosemary's Baby*, il a compté parmi ses résidents de nombreuses célébrités : Judy Garland, Lauren Bacall, Leonard Bernstein, Rudolph Noureev… il est devenu tristement célèbre après que John Lennon fut assassiné devant son porche.

❻ Pour une pause girly : Alice's Tea Cup

Inspirée de l'univers d'*Alice au pays des merveilles*, cette boutique-salon de thé saura éveiller votre curiosité et attiser vos papilles. Vous ne pourrez que succomber devant l'originalité des salades et sandwichs proposés. Grand choix de thés que l'on accompagne de *scones*, muffins… dans une ambiance girly.

102 W 73rd St., angle Columbus Ave.
☎ (212) 799 30 06
www.alicesteacup.com
T. l. j. 8h-20h
Sandwich : entre 9 et $12, salade : entre 11 et $15.

16

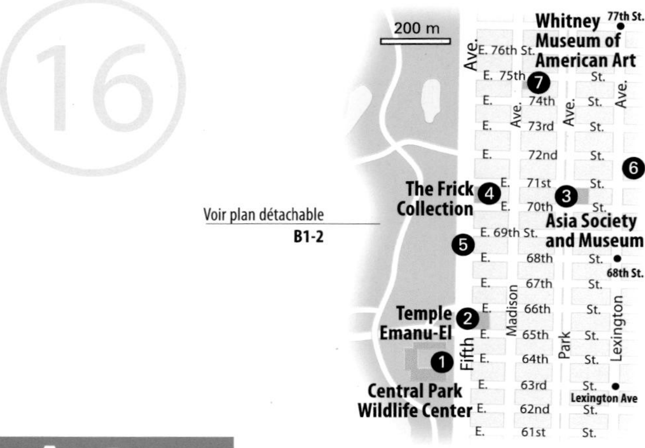

Voir plan détachable
B1-2

Autour de la Frick Collection

Hôtels particuliers transformés en musées sur 5th Avenue, vitrines chic et chères sur Madison St., vous êtes au cœur du quartier du luxe, loin des foules du reste de la ville. Pour retrouver une ambiance plus populaire, allez vous promener dans Central Park (voir p. 39 et 59) afin de respirer un bol d'air, ou baladez-vous le long de Lexington Avenue où s'alignent bars et restaurants de quartier.

❶ Central Park Wildlife Center★★

Central Park, entrée sur 5th Ave., au niveau de E 64th St.
☎ (212) 439 65 00
www.centralparkzoo.com
Avr.-oct. : lun.-ven. 10h-17h, sam.-dim. 10h-17h30 ; nov.-mars : t. l. j. 10h-16h30
Entrée plein tarif : $12.

Central Park possède un minizoo tout à fait atypique et charmant. Vous y verrez des ours polaires et des singes installés dans des structures qui recréent leur environnement naturel. Juste en face, le Tisch Children's Zoo accueille les animaux de la ferme.

❷ Temple Emanu-El★★

1 E 65th St., angle 5th Ave.
☎ (212) 744 14 00
www.emanuelnyc.org
Dim.-jeu. 10h-16h30
Services : dim.-jeu. à 17h30, ven. à 18h et sam. à 10h30.

Le temple Emanu-El est la plus grande synagogue réformée des États-Unis. Il présente une architecture très intéressante : une structure d'inspiration romane sur laquelle est disposé un mélange de motifs orientaux. L'intérieur vaut lui aussi le détour. La nef, imposante, composée d'ornements de style byzantin, compte plus de 2 500 places. Plus que St Patrick's Cathedral !

❸ Asia Society and Museum★★★

725 Park Ave., angle E 70th St.
☎ (212) 288 64 00
www.asiasociety.org
Mar.-dim. 11h-18h (21h ven. sf l'été)
Entrée plein tarif : $10, gratuit ven. 18h-21h.

Un joli petit musée dédié à l'art et à la culture asiatiques, avec notamment les formidables collections privées du philanthrope américain John D. Rockefeller III, comprenant des œuvres datant de 2 000 ans av. J. C. jusqu'au XIXe s., venues du sud, du sud-est et de l'est de l'Asie. Également des expositions temporaires, des concerts et des spectacles de danse. Faites une pause au **Garden Court Café**, le menu y est fort alléchant !

❹ The Frick Collection★★★

1 E 70th St., angle 5th Ave.
☎ (212) 288 07 00
www.frick.org
Mar.-sam. 10h-18h, dim. 11h-17h ; f. j. fériés
Entrée plein tarif : $18, *pay what you wish* dim. 11h-13h (interdit aux enfants de moins de 10 ans)
Voir « Pour en savoir plus » p. 60.

Une impressionnante collection privée d'œuvres datant de la Renaissance est soigneusement entreposée dans cette superbe demeure ayant appartenu à l'industriel Henry Clay Frick. Chaque pièce, somptueusement meublée, est décorée d'œuvres de Rembrandt, Vermeer, Whistler ou Renoir. Loin des grands musées new-yorkais, vous trouverez ici une atmosphère

intimiste et raffinée. Jetez aussi un coup d'œil au charmant jardin intérieur.

❻ Archivia Books★★

993 Lexington Ave., entre 71st et 72nd St.
☎ (212) 570 95 65
www.archiviabooks.com
Lun.-sam. 10h-18h, dim. 12h-17h.

Une librairie spécialisée en art, architecture, design et arts décoratifs à deux pas de 5th Avenue et de ses musées. Un choix surprenant de beaux livres sur New York (dès $15), de quoi découvrir toute son histoire au travers de ses édifices. Un endroit à ne pas manquer si vous êtes passionné d'architecture ou si vous souhaitez en savoir plus sur l'âme des quartiers de la ville.

❼ Whitney Museum of American Art★★★

945 Madison, angle E 75th St.
☎ (212) 570 36 00
www.whitney.org
Mer.-jeu. et sam.-dim. 11h-18h, ven. 13h-21h
Entrée plein tarif : $18, *pay what you wish* ven. 18h-21h
Voir « Pour en savoir plus » p. 61.

Abrité dans un bâtiment dessiné par Marcel Breuer en 1966, le musée est consacré à l'art américain moderne et contemporain. C'est l'endroit idéal pour découvrir une foule d'artistes inconnus en France et pour admirer la plus grande collection de peintures d'Edward Hopper. Les expositions temporaires sont toujours passionnantes.

❺ La Cinquième Avenue (5th Avenue)

C'est dans les années 1880 que la famille Astor a lancé la mode de la 5e Avenue en s'installant à l'emplacement actuel du temple Emanu-El. De nombreuses célébrités l'ont suivie, tandis que les premiers immeubles conçus pour devenir des appartements apparaissaient. Aujourd'hui, dans sa partie orientale, elle est le siège de nombreuses boutiques très élégantes, alors que, le long de Central Park, les musées se succèdent.

17

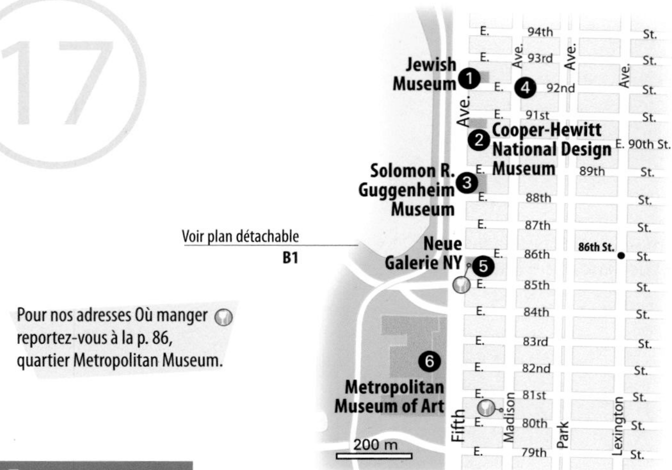

Voir plan détachable
B1

Pour nos adresses Où manger reportez-vous à la p. 86, quartier Metropolitan Museum.

Autour du Metropolitan Museum

Un rien froid et guindé, ce quartier ultra-chic fera le bonheur des amateurs d'art ! Les musées sont nombreux le long de 5th Avenue, rebaptisée ici « Museum Mile ». Pour retrouver animation, boutiques et cafés, rendez-vous sur Lexington Avenue.

❶ Jewish Museum★

1109 5th Ave., angle E 92nd St.
☎ (212) 423 32 00
www.thejewishmuseum.org
Dim.-mar. 11h-17h45,
jeu. 11h-20h,
ven.-sam. 11h-17h45
(16h ven. nov.-mars)
Entrée plein tarif : $12,
gratuit sam.

Ce musée offre un large éventail de l'art juif : peintures, sculptures, tablettes cunéiformes et objets religieux rapportés pour la plupart des synagogues européennes avant la Seconde Guerre mondiale. Chaque année, le musée invite un groupe d'artistes pour mettre en place une exposition temporaire.

❷ Cooper-Hewitt National Design Museum★★

2 E 91st St., angle 5th Ave.
☎ (212) 849 84 00
www.cooperhewitt.org
Actuellement fermé
pour rénovation.

Fermé pour rénovation jusqu'à fin 2013, le musée, consacré aux arts décoratifs et au design, organise néanmoins de nombreux événements culturels dans différents lieux de la ville, comme The University club (1 W 54th St. – B2) ou The Greene Space (44 Charlton St. – G7). Visitez le site Internet pour connaître les emplacements des différentes manifestations.

❸ Solomon R. Guggenheim Museum★★★

1071 5th Ave., angle E 89th St.
☎ (212) 423 35 00
www.guggenheim.org
Dim.-mer. et ven. 10h-17h45,
sam. 10h-19h45

Entrée plein tarif : $18,
pay what you wish
sam. 17h45-19h45
Voir « Pour en savoir plus » p. 62.

Le bâtiment lui-même est une splendide réalisation d'architecture contemporaine (pour en savoir plus sur l'architecture new-yorkaise, voir p. 64 et 72). Conçu et réalisé en grande partie par Frank Lloyd Wright, en 1959, le Guggenheim, tout en spirale, est un véritable temple de l'art : des impressionnistes aux minimalistes ou conceptuels

des années 1960, la plupart des mouvements sont représentés (expressionnisme,

cubisme, abstraction, surréalisme). Un must absolu.

❺ Neue Galerie New YorK★★★

1048 5th Ave., angle E 86th St.
☎ (212) 628 62 00
www.neuegalerie.org
Jeu.-lun. 11h-18h
Entrée plein tarif : $20,
gratuit 1er ven. du mois 18h-20h.

C'est dans un sublime hôtel particulier datant de 1914 que la Neue Galerie a ouvert ses portes en novembre 2001. Consacrée entièrement à l'art allemand et autrichien du début du XXe s., elle présente une grande partie des œuvres de Gustav Klimt, Egon Schiele et Oskar Kokoschka. Des expositions temporaires et thématiques sont régulièrement mises en place. Après la visite, faites une halte au **Café Sabarsky** (situé au rez-de-chaussée, voir p. 86), qui a recréé le décor et l'atmosphère des cafés viennois du début du siècle dernier.

❻ Metropolitan Museum of Art (MET)★★★

1000 5th Ave., angle E 82nd St.
☎ (212) 535 77 10
www.metmuseum.org
Mar.-jeu. et dim. 9h30-17h30,
ven.-sam. 9h30-21h
Donation suggérée ($25)
Voir « Pour en savoir plus » p. 63.

Soyez sélectif : les dix-huit départements du MET abritent environ deux millions d'œuvres d'art, tous domaines confondus ! La section d'art islamique est superbe ainsi que les 3 000 peintures européennes ; les fans d'égyptologie iront directement au temple de Dendur, tandis que les adeptes d'armurerie seront comblés par les quelque 15 000 objets provenant d'Europe, d'Asie et d'Amérique. Le musée possède d'ailleurs une galerie permanente sur les arts d'Asie du Sud et du Sud-Est. Pendant l'été, allez prendre un bol d'air dans le jardin : la vue y est magnifique.

❹ Pour une pause goûter : Sarabeth's Kitchen

Sarabeth et Bill Levine ont ouvert leur première boutique en 1981. Aujourd'hui, ils possèdent plusieurs restaurants et sont toujours très populaires auprès des New-Yorkais grâce, avant tout, à leurs incomparables gâteaux (env. $8,50), marmelades (env. $7,50) et muffins. Bref, le paradis des palais sucrés ! Allez y prendre le petit déjeuner et goûter à leurs pancakes aux abricots, un régal !

1295 Madison Ave.,
angle E 92nd St.
☎ (212) 410 73 35
www.sarabeth.com
Lun.-sam. 8h-22h30,
dim. 8h-22h.

18

Voir plan détachable
D1-2

Pour nos adresses
Où manger
reportez-vous à la p. 86,
quartier Harlem.

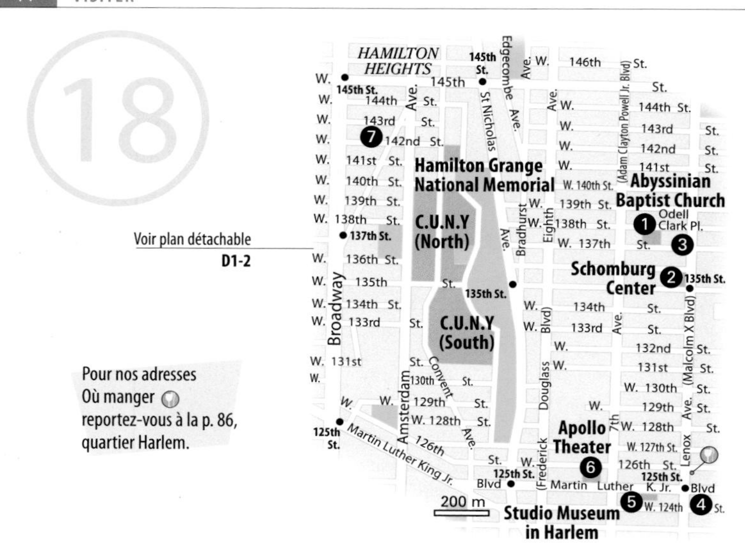

Harlem, berceau de la culture noire américaine

Résidentiel et bourgeois à la fin du XIXe s., Harlem se transforme en fief de la communauté afro-américaine dès le début du XXe s. Très vite, le quartier devient le noyau d'un mouvement de renouveau de la culture noire américaine que l'on appellera la « Renaissance de Harlem ». Peintres, écrivains, musiciens, tous les plus grands y ont vécu. Aujourd'hui, malgré l'arrivée des Blancs et une certaine forme d'embourgeoisement, ce quartier a su préserver son âme avec ses magnifiques *brownstones* et sa multitude d'édifices religieux.

1 Abyssinian Baptist Church★★

132 Odell Clark Place
☎ (212) 862 74 74
www.abyssinian.org
Visiteurs admis pour le service du dim. à 11h (r.-v. à l'angle de W 138th St. et Adam Clayton Powell Jr Blvd ; arriver tôt !).

L'Abyssinian Baptist Church, fondée en 1808, est la plus ancienne église noire de New York. Elle est devenue célèbre grâce au pasteur Adam Clayton Powell Jr, qui, en tant que membre du Congrès, s'est battu pour faire reconnaître les droits civiques du peuple noir. Aujourd'hui, un musée lui est consacré. Le dimanche, la messe est accompagnée par un chœur de gospel.

2 Schomburg Center for Research in Black Culture★★

515 Malcolm X Blvd
☎ (212) 491 22 00
www.schomburgcenter.org
• Centre de recherche :

mar.-jeu. 12h-20h, ven.-sam. 10h-18h
• Galeries d'exposition : lun.-sam. 10h-18h
Entrée payante pour certaines manifestations.

Si vous souhaitez apprendre l'histoire de la communauté noire des États-Unis, et plus particulièrement de New York, c'est ici qu'il faut venir. Le Schomburg Center est à la fois un lieu d'exposition et un centre de recherche et de conservation de la culture noire américaine. Cet établissement organise des projections de films et des concerts de jazz.

❸ Pour une pause afro-américaine : Miss Maude's Spoonbread Too

Il serait dommage de venir à Harlem sans goûter à la *soul food*, cuisine traditionnelle des Afro-Américains du Sud. Ici, toutes les spécialités sont proposées : *jerk chicken* (poulet grillé et pimenté), *North Carolina BBQ ribs*... le tout accompagné de deux légumes au choix.

547 Lenox Ave., entre 137th et 138th St. – ☎ (212) 690 31 00
Lun.-jeu. 11h30-22h, ven.-sam. 11h30-23h, dim. 10h30-19h – Plat principal : env. $15.

❹ Lenox Lounge★★★

288 Lenox Ave., entre W 124th et 125th St.
☎ (212) 427 02 53
www.lenoxlounge.com
T. l. j. 12h-3h30
Entrée : de 10 à $40 + boisson $16.

Lieu emblématique de Harlem depuis la fin des années 1930, le Lenox Lounge est toujours l'un des meilleurs clubs de jazz de la ville. Les plus grandes légendes comme Miles Davis, John Coltrane ou Billie Holiday s'y sont produites. La *jam session* du lundi soir menée par Patience Higgins vous plongera dans une ambiance be-bop extraordinaire ! Petit plus, le club est aussi un restaurant qui propose un menu *soul food*.

❺ Studio Museum in Harlem★★

144 W 125th St., entre 7th Ave. et Malcolm X Blvd
☎ (212) 864 45 00
www.studiomuseum.org
Jeu.-ven. 12h-21h, sam. 10h-18h, dim. 12h-18h
Donation suggérée ($7), gratuit dim.

Voici le plus grand musée des États-Unis consacré uniquement à l'art noir (Afrique, Caraïbes et Amérique). En plus des collections permanentes, de nombreuses expositions temporaires sont organisées, permettant ainsi de faire connaître de nombreux artistes. Un programme intitulé *artist-in-residence* met en avant chaque année un nouveau talent.

❻ Apollo Theater★

253 W 125th St.
☎ (212) 531 53 00
www.apollotheater.org
Box office : lun.-ven. 10h-18h, sam. 12h-17h
☎ (212) 531 53 05.

Créé en 1914, l'Apollo fut d'abord une salle d'opéra strictement réservée aux Blancs. À partir de 1934, Frank Schiffman reprend la direction de l'établissement et le transforme en une salle de spectacle qui devient un des hauts lieux d'expression des artistes noirs américains. Il met en place la célèbre « nuit

des amateurs », qui lança entre autres James Brown et Sarah Vaughan. Cette tradition persiste chaque mercredi à partir de 19h30.

❼ Hamilton Heights★★★

Entre W 135th et W 155th St., à l'ouest de St Nicholas Ave.

Ce quartier historique de Harlem est sans doute l'un des plus jolis en matière architecturale. Allez flâner dans les rues et ne manquez pas le **Hamilton Grange National Memorial** dans St Nicholas Park (414 W 141st St., jeu.-dim. 9h-17h), qui est l'un des plus vieux bâtiments de New York. Autre curiosité, le **City College of the University of New York** (CUNY), qui ressemble plus à un château qu'à une université ! Entrée principale par Convent Ave.

Hors plan détachable

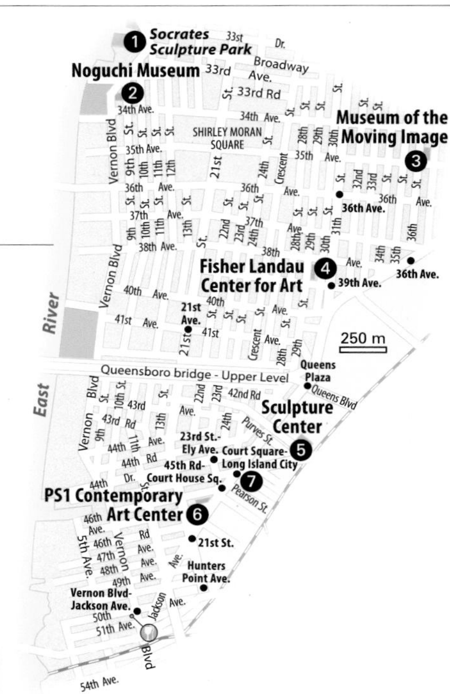

Pour nos adresses Où manger reportez-vous à la p. 86, quartier Queens.

Queens, un faubourg en pleine mutation

Situé face à Manhattan, le quartier du Queens, baptisé « Long Island City », est en passe de devenir un haut lieu de la culture contemporaine. Au milieu de quartiers résidentiels ou industriels, certaines institutions de renom et quelques petits trésors cachés sont à découvrir avec délectation…

❶ Socrates Sculpture Park★★

À l'angle de Broadway et Vernon Blvd
☎ (718) 956 18 19
www.socratessculpturepark.org
T. l. j. de 10h à la tombée de la nuit
Accès libre.

Situé à deux pas du Noguchi Museum, ce petit parc au bord de l'East River offre une pause agréable avec une vue imprenable sur Manhattan. Ce site est également un lieu d'exposition où sculptures et installations s'intègrent avec beaucoup d'originalité dans le paysage. À voir !

❷ Noguchi Museum★★★

32-37 Vernon Blvd
(entrée au 9-01 33rd Rd, entre Vernon Blvd et 10th St.)

☎ (718) 204 70 88
www.noguchi.org
Mer.-ven. 10h-17h,
sam.-dim. 11h-18h
Entrée plein tarif : $10, *pay what you wish* 1er ven. du mois.

Fondé et dessiné par l'artiste lui-même, le musée consacré à Isamu Noguchi est un havre de paix et de beauté ! Au rez-de-chaussée, vous découvrirez ses énormes sculptures de pierre aux formes géométriques.
Au 1er étage, vous trouverez du mobilier et des objets design, dont les fameuses lampes de papier Akari associant la technique traditionnelle japonaise aux formes organiques de ses sculptures. À l'extérieur, un jardin aménagé par Noguchi vous remplira de sérénité…

❹ Fisher Landau Center for Art★★

38-27 30th St., entre 38th et 39th Ave.
☎ (718) 937 07 27
www.flcart.org
Jeu.-lun. 12h-17h
Accès libre.

Ce centre d'art contemporain présente avant tout des expositions d'œuvres majeures datant des années 1960 jusqu'à nos jours. Elles appartiennent à la collection privée d'Emily Fisher Landau, qui compte des artistes comme Donald Baechler, Alfredo Jaar, Susan Rothenberg, Donald Judd ou Kiki Smith. La programmation comprend aussi des travaux d'artistes émergents ou de jeunes diplômés d'écoles d'art.

❸ Museum of the Moving Image★★★

36-01 35th Ave., angle 36th St.
☎ (718) 777 68 88
www.movingimage.us
Mar.-jeu. 10h30-17h, ven. 10h30-20h, sam.-dim. 10h30-19h
Entrée plein tarif : $12, gratuit ven. 16h-20h.

Les passionnés de cinéma et de télévision se feront un plaisir de visiter ce musée consacré à l'histoire, aux techniques et à la technologie du 7e Art et du petit écran. En plus des expositions temporaires, vous pourrez voir des extraits de films cultes, vous essayer au doublage, découvrir des objets de tournage, et créer votre film d'animation façon Terry Gilliam pour *Monty Python*.

❺ Sculpture Center★

44-19 Purves St., à l'est de Jackson Ave.
☎ (718) 361 17 50
www.sculpture-center.org
Jeu.-lun. 11h-18h
Donation suggérée ($5).

Le Sculpture Center est une institution culturelle consacrée à la recherche et au développement expérimental en matière de sculpture contemporaine. Vous y découvrirez davantage des installations, des reportages photos ou du land art que des expositions classiques de petites pièces ! L'espace dédié (un ancien hangar de réparation de chariots) participe vivement au caractère innovant du lieu.

❻ PS1 Contemporary Art Center★★

22-25 Jackson Ave., angle 46th Ave.
☎ (718) 784 20 84
www.momaps1.org
Jeu.-lun. 12h-18h
Donation suggérée ($10).

Affilié au célèbre MoMA, le PS1 est sans doute le musée d'Art contemporain le plus avant-gardiste. Depuis sa fondation en 1971, il a pour vocation de présenter, au travers d'expositions temporaires, le travail d'artistes innovants et émergents issus de toutes les disciplines. L'intérieur du bâtiment (une ancienne école datant de 1893), laissé « brut de décoffrage », amplifie le côté underground du lieu.

❼ Pour déjeuner : Sage General Store★

Pour le déjeuner, arrêtez-vous à cette adresse située à deux pas du PS1. On y sert une cuisine américaine régionale à base de produits frais glanés chez les petits producteurs. Dans un décor un brin champêtre, les petits plats vous font voyager d'un bout à l'autre des États-Unis : Hudson Valley Salad, pizza Oregon ou Minnesota, sandwich (env. $8).
Côté sucré : cupcakes maison et cookies géants.

24-20 Jackson Ave., entre Pearson St. et Court Square
☎ (718) 361 07 07 – www.sagegeneralstore.com
Lun.-ven. 8h-20h, sam. 9h-19h, dim. 10h-16h (brunch uniquement).

Voir plan détachable
C5-6/D5-6

Pour nos adresses
Où manger
reportez-vous à la p. 86, quartier Brooklyn.

Brooklyn, de DUMBO à Coney Island

Le charme et la diversité de ce faubourg de New York, rendu célèbre par tant d'écrivains, de cinéastes, de poètes et d'artistes, vous séduiront. Du Brooklyn Heights chic au DUMBO (Down Under the Manhattan Bridge Overpass) postindustriel en passant par le noctambule Williamsburg (voir p. 50), la plage de Coney Island ou le précieux Park Slope, Brooklyn n'a vraiment rien à envier à Manhattan !

❶ Brooklyn Heights Promenade★★★

Accès par Montague St.

Brooklyn Heights est l'un des plus beaux et des plus vieux quartiers de Brooklyn. Situé le long du fleuve, il s'étend du Brooklyn Bridge à Atlantic Ave. Les rues étroites et arborées, les maisons élégantes et les *brownstones* datant du XIXe s., ainsi que les nombreux cafés et restaurants en terrasse donnent à ce quartier une véritable ambiance de village. De la promenade, vous découvrirez une des plus belles vues sur Manhattan. Faites-y une pause et savourez le spectacle qui s'offre à vous…

❷ Brooklyn Bridge Park★★★

**Accès par Washington St. ou Main St.
www.brooklynbridgepark.org
T. l. j. 6h-1h.**

Situé le long du fleuve entre les deux ponts, ce petit coin

de verdure de DUMBO contraste fortement avec le reste du quartier et fait partie des trésors cachés de la ville. De grandes pelouses où il fait bon s'allonger, une petite plage de galets… Ce lieu idyllique est propice à la détente. On peut y admirer l'architecture pharaonique du Manhattan Bridge, et les voiliers qui descendent le fleuve. Le point de vue sur Manhattan et sur le Brooklyn Bridge est également magnifique… Après cela, faites une pause gourmande chez le chocolatier **Jacques Torres** (66 Water St.). Un régal !

❸ DUMBO Arts Center★★

111 Front St., entre Washington St. et Adams St., Suite 212
☎ (718) 694 08 31
www.dumboartscenter.org
Mer.-dim. 12h-18h
Donation suggérée ($2).

DUMBO est un périmètre de quelques rues pris entre les deux ponts (de Jay St. à Old Fulton St.). Les anciens entrepôts de ce quartier industriel ont été reconvertis en lofts dont s'est emparé le milieu artistique. Dans un immeuble qui réunit plusieurs galeries d'art, le DUMBO Arts Center propose de nombreuses expositions de jeunes créateurs et participe au festival Art Under the Bridge en septembre, qui réunit les réalisations de 1 500 artistes ayant trait à l'art visuel.

❺ Brooklyn Museum★★

200 Eastern Parkway
☎ (718) 638 50 00
www.brooklynmuseum.org
Mer. et ven.-dim. 11h-18h (jusqu'à 23h 1er dim. du mois), jeu. 11h-22h
Donation suggérée ($12), gratuit 1er dim. du mois 17h-23h.

Même si l'agencement des salles d'exposition n'est pas toujours très clair, le musée d'Art de Brooklyn recèle des petits

trésors, à savoir une collection sur l'Égypte ancienne riche de 4 000 pièces, ou encore quelques toiles de maîtres européens comme Monet, Degas ou Cézanne. Le musée consacre une partie du lieu à des expositions temporaires qui comptent parmi les meilleures de la ville.

❹ Pour une pause glace : Brooklyn Ice Cream Factory

Au pied du Brooklyn Bridge, cette ancienne maison de gardien de phare en bois blanc est le repaire des gourmands. On y savoure des glaces artisanales et 100 % naturelles en coupes ou en cônes ($4 la boule), mais aussi des milk-shakes, *sundaes* et autres banana splits. Laissez-vous tenter !

Au coin de Old Fulton et Water St. – ☎ (718) 246 39 63
www.brooklynicecreamfactory.com
Mar.-dim. 12h-22h – Espèces uniquement.

❻ Prospect Park★★

Grand Army Plaza
☎ (718) 965 89 51
www.prospectpark.org
T. l. j. 5h-1h.

Central Park version Brooklyn ! Ces 300 ha de verdure ont été aménagés par les mêmes architectes, Olmsted et Vaux, en 1867. Lacs, prairies, forêt naturelle et zoo font le bonheur des Brooklyniens dès le week-end venu. Le must est sans aucun doute le magnifique Jardin botanique de Brooklyn (900 Washington Ave., ☎ (718) 623 72 00 ; www.bbg.org ; mars-nov. : mar.-ven. 8h-18h, sam.-dim. 10h-18h ; nov.-mars : mar.-ven. 8h-16h30, sam.-dim. 10h-16h30 ; entrée plein tarif : $10). À l'ouest du parc, le quartier chic et décontracté de Park Slope, truffé de boutiques et de restaurants, rappelle un peu le Londres victorien. Allez y faire un tour !

❼ Coney Island et Brighton Beach★★

Au sud de Brooklyn, au bord de l'océan.

Les terminus de cinq lignes de métro (B, D, F, N, Q) vous mèneront à la plage la plus populaire de New York ! Eh oui, vous pourrez même vous y baigner ! Une destination très prisée en été… Coney Island est également connue pour son parc d'attractions, aujourd'hui un peu désuet, mais qui fut entre 1880 et 1940 le plus grand parc de loisirs de tous les États-Unis ! De l'autre côté de la promenade, Brighton Beach, surnommé « Little Odessa », vous invite, avec ses boutiques et restaurants russes, à un tout autre voyage…

21

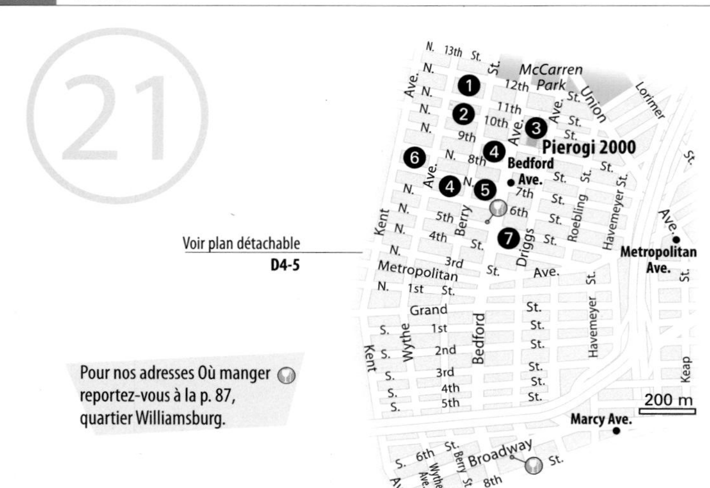

Voir plan détachable
D4-5

Pour nos adresses Où manger reportez-vous à la p. 87, quartier Williamsburg.

Williamsburg, le Brooklyn branché

Embarquez dans le L Train pour rejoindre ce quartier considéré comme le plus hype des États-Unis. Réputé pour sa scène musicale internationale, l'ancien taudis des années 1930 est aujourd'hui le repaire des artistes et des *hipsters* (comprenez la jeunesse cultivée, cool, urbaine et branchée). C'est plus une atmosphère que l'on vient respirer ici, au fil des boutiques, bars et restaurants trendy de Bedford Avenue. Pour les sorties nocturnes, Williamsburg est *the place to be* !

❶ Brooklyn Brewery Company★

79 N 11th St. (1 Brewers Row), entre Wythe Ave. et Berry St.
☎ (718) 486 74 22
www.brooklynbrewery.com
Sam. 12h-20h, dim. 12h-18h
Visites guidées toutes les heures sam. de 13h à 17h et dim. de 13h à 16h.

Tous les week-ends, la foule fait la queue sur le trottoir, moins pour assister à la visite guidée de cette petite brasserie fondée en 1987 que pour goûter à l'une des différentes variétés de cette bière 100 % brooklynienne ($5 la bière, 5 pour $20) ! Allez-y pour l'ambiance, la discussion s'engage facilement.

❷ Beacon's Closet★★

88 N 11th St., entre Wythe Ave. et Berry St.
☎ (718) 486 08 16
www.beaconscloset.com
Lun.-ven. 11h-21h, sam.-dim. 11h-20h.

Cet entrepôt géant abrite une mine de fripes en tous genres, avec une majorité de pièces *seventies* et *eighties*. Armez-vous de patience et soyez organisé, car c'est un

véritable fouillis, pas toujours très pratique, et les *hipsters* qui viennent s'y fabriquer un look branché-cool sont des adversaires de taille. En revanche, vous y ferez de véritables affaires !

❸ Pierogi 2000★★

177 N 9th St., entre Bedford Ave. et Driggs Ave.
☎ (718) 599 21 44
www.pierogi2000.com
Mar.-dim. 11h-18h.

Profitant de la concentration d'artistes dans le quartier, cette galerie d'art fondée en 1994 a eu la bonne idée d'exposer les nombreux talents de Williamsburg. Les expositions changent tous les mois et permettent de découvrir des artistes émergents. Son annexe, The Boiler, occupe une ancienne fonderie.

❹ Brooklyn Industries★★★

• 162 Bedford Ave., angle N 8th Ave.
☎ (718) 486 64 64
T. l. j. 11h-21h
• 328 7th Ave. (Park Slope)
☎ (718) 788 52 50
Lun.-jeu. 11h-20h,

ven.-sam. 11h-21h
www.brooklynindustries.com
Cette marque de sacs et de vêtements urbains *made in* Brooklyn connaît un véritable succès. L'histoire a commencé avec d'originales sacoches en bandoulière facilement identifiables grâce au logo de la marque : un petit château d'eau noir, bien emblématique des toits de New York.

❻ Artists & Fleas★★

70 N 7th St., entre Wythe Ave. et Kent Ave.
www.artistsandfleas.com
Sam.-dim. 10h-19h.

Tous les week-ends, cet entrepôt des années 1930 se transforme en marché ultra-branché. Entre la petite brocante et les fringues vintage, jeunes artistes et designers de Williamsburg vendent leurs créations en direct. Un bon spot pour s'imprégner de l'ambiance du quartier, flairer les nouvelles tendances et rapporter des pièces uniques !

❺ Pour une pause sur la plage : Surf Bar★★

Un petit goût d'Hawaï à Brooklyn ! Kitsch à souhait, le décor foutraque de ce petit bar fourmille de bibelots vintage, de planches de surf et de guirlandes lumineuses. Dans une ambiance *very cool*, on y sirote des cocktails exotiques les pieds dans le sable ou dans le jardin, très agréable quand le soleil est de la partie.

139 N 6th St., entre Bedford Ave. et Berry Ave.
☎ (718) 302 44 41
Lun.-jeu. 12h-23h, ven. 12h-0h30, sam. 11h-0h30, dim. 11h-minuit
Plats de 9 à $16.

❼ Bedford Cheese Shop★★

229 Bedford Ave., angle N 4th St.
☎ (718) 599 75 88
www.bedfordcheeseshop.com
Lun.-ven. 11h-21h, dim. 10h-20h.

Voici une petite boutique à l'ancienne réputée pour sa sélection de fromages du monde entier (de 13 à $50 la livre) et ses vendeurs qui en connaissent un rayon sur la question ! Cette enclave qui fleure bon le terroir illustre bien la passion des Brooklyniens pour les produits issus des petits producteurs. Un incontournable si vous êtes en manque de bleu d'Auvergne !

La statue de la Liberté

Emblème incontournable de la ville, la statue de la Liberté se dresse à l'entrée du port de New York. Vous pourrez accéder à son socle et à la plateforme d'observation située au 10e étage, ainsi qu'à la couronne, fermée après les attentats du 11 septembre 2001 et rouverte depuis juillet 2009. La promenade qui borde l'île est superbe.

Historique

Offerte par la France aux États-Unis en 1886 en marque d'amitié, la statue commémore le centenaire de la Déclaration d'indépendance américaine. Elle fut conçue par Frédéric-Auguste Bartholdi avec, pour la structure métallique, le concours de Gustave Eiffel. Inaugurée par le président Cleveland le 28 octobre 1886, elle fut restaurée en 1986 pour son 100e anniversaire.

La statue

Les 225 t de la statue, haute de 93 m en comptant le piédestal, sont soutenues par une charpente. Un pylône central retient les 300 plaques de cuivre qui la recouvrent. Vêtue d'une toge, elle brandit de la main droite le fameux flambeau qui accueillait et éclairait les immigrants qui arrivaient en bateau. Dans la main gauche, elle tient une tablette sur laquelle est inscrite la date de la Déclaration d'indépendance : 4 juillet 1776. Les chaînes brisées de l'esclavage qui gisent à ses pieds symbolisent la Liberté, et les sept rayons de la couronne, les sept mers et continents. Pour la petite histoire, le visage est celui de la propre mère de Frédéric-Auguste Bartholdi. Le poème d'Emma Lazarus inscrit sur le piédestal décrit les États-Unis comme une terre d'accueil.

Le musée

Il relate les différentes étapes de construction de la statue et l'histoire du peuple de New York. Vous y verrez aussi une exposition d'affiches ainsi que des esquisses de Bartholdi. Admirez la torche d'origine qui se trouve dans l'entrée : elle fut remplacée par une réplique en 1986, lors des travaux de rénovation du centenaire.

> COORDONNÉES

Voir p. 10
Ferry pour Liberty Island au départ de Battery Park (B6)
M° South Ferry
Vente des tickets à **Castle Clinton**
☎ (212) 363 32 00
www.nps.gov/stli
Pour un ticket avec accès piédestal/musée ou couronne (+ $3) résa obligatoire au moins 2 sem. à l'avance au ☎ 1 877 523 98 49 ou sur www.statuecruises.com
T. l. j. 9h30-17h (traversée 15 min)
Accès gratuit au monument, aller-retour en ferry $13 (plein tarif).

Ellis Island

C'est à la fin du XIXe s. que le gouvernement américain décide de construire un port spécial pour accueillir les immigrants sur l'île d'Ellis. Aujourd'hui, près de la moitié de la population américaine y a ses racines. Le site abrite un musée où plusieurs expositions retracent l'histoire de l'immigration.

Un peu d'histoire

Le nom de l'île vient du propriétaire qui l'habitait pendant la guerre d'Indépendance : Samuel Ellis. Elle devint centre de tri en 1892, les lois d'immigration interdisant l'entrée des États-Unis aux polygames, prostituées, indigents, anarchistes, analphabètes et porteurs de maladies contagieuses. Cependant, compte tenu du nombre de personnes à examiner et du peu de médecins, l'examen médical durait environ 6 secondes. Pendant la Seconde Guerre mondiale, l'île devint un lieu de détention. Enfin, après trente ans de détérioration, des descendants d'immigrés offrirent 156 millions de dollars pour la restaurer.

Le musée

Photos, témoignages et cartes illustrent la diversité des origines du peuple américain et montrent les étapes et les formalités auxquelles se soumettaient les arrivants. La *Baggage Room* renferme un amas de sacs, malles et valises. Beaucoup y ont abandonné leurs objets personnels : 2 000 d'entre eux sont exposés. Dans la *Registry Room,* les arrivants attendaient parfois des jours avant que des médecins ne les examinent (yeux, endurance, maladies...) et que l'on ne contrôle leurs papiers et leurs motivations.Les admis prenaient alors l'« escalier de la séparation » menant aux bateaux pour New Jersey ou Manhattan. Seulement 2 % furent refoulés.

Les archives

L'*American Immigrant Wall of Honor* liste les 700 000 personnes enregistrées là, et l'*Oral History Studio* propose des enregistrements de témoignages. Enfin, l'*Ellis Island Family Immigration History Center* fournit des archives sur les millions d'immigrants qui ont foulé le sol de l'île.

> COORDONNÉES

Voir p. 10

Ferry pour Ellis Island au départ de Battery Park
Vente des tickets à **Castle Clinton**
☎ (212) 363 32 00
www.nps.gov/elis
Résa au ☎ 1 877 523 98 49 ou sur www.statuecruises.com
T. l. j. 9h30-17h (horaires réduits en hiver)
Accès gratuit au musée, aller-retour en ferry $13 (plein tarif).

Brooklyn Bridge

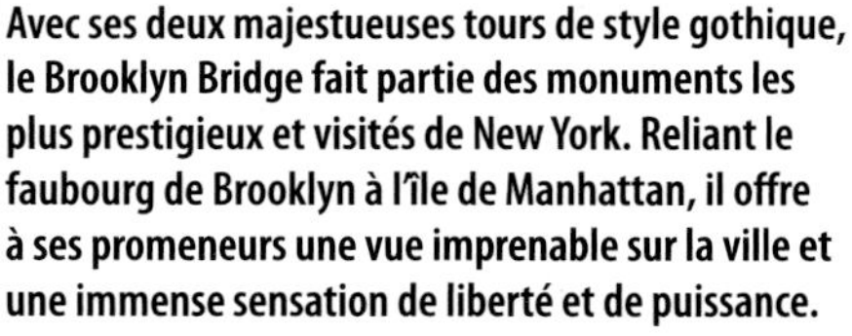

Avec ses deux majestueuses tours de style gothique, le Brooklyn Bridge fait partie des monuments les plus prestigieux et visités de New York. Reliant le faubourg de Brooklyn à l'île de Manhattan, il offre à ses promeneurs une vue imprenable sur la ville et une immense sensation de liberté et de puissance.

Historique

Durant le XIXe s., la ville de New York et celle de Brooklyn, alors indépendantes, subissent un essor démographique considérable. Elles comptent à elles deux 220 000 habitants en 1830, puis un million en 1860 ! Il apparaît alors nécessaire de les relier en construisant un pont pour faciliter la circulation des hommes et des marchandises. En 1866, la ville de New York vote une loi pour sa construction.

Son élaboration

Les plans du pont de Brooklyn ont été dessinés par John A. Roebling, un ingénieur d'origine allemande qui a mis au point le câble métallique. Les travaux débutent en 1867, mais Roebling meurt deux ans plus tard sans que ceux-ci soient achevés. Son fils, Washington, prend la relève et mène le projet à bien malgré un accident de chantier.
En 1883, le pont est enfin inauguré et Brooklyn devient alors partie intégrante de New York City. Avec près de 2 km de long (1 825 m exactement), 26 m de large, quatre câbles en acier de 40 cm de diamètre (permettant son soutien) et deux tours d'environ 90 m de haut, le pont de Brooklyn, sublime accomplissement architectural, devient une véritable icône aux yeux du monde.

De l'autre côté du pont...

Il serait dommage de ne pas profiter de cette traversée pour découvrir le quartier mythique et historique de Brooklyn Heights (voir p. 48). Situé immédiatement à l'est du pont, ce secteur devient dès 1810 un lieu à la mode, doté du charme d'un village et de la proximité de la « grande ville ». Aujourd'hui encore, il compte parmi les endroits les plus beaux et les plus chers de New York. Découvrez la promenade avec sa vue prestigieuse sur la pointe de Manhattan, et prenez le temps d'observer les somptueuses maisons des alentours de Henry St.

> COORDONNÉES

Voir p. 11
Entrée sur Park Row, à hauteur de Centre St. (B6/C6)
M° Brooklyn Br.-City Hall.

Empire State Building

Fleuron de l'Art déco américain et immortalisé par *King Kong* en 1933, l'Empire State Building a gardé le titre de plus haut gratte-ciel du monde pendant quarante ans, jusqu'à l'achèvement d'autres buildings plus contemporains. Haut de 381 m et de 102 étages, il est resté le symbole de la ville de New York. Aujourd'hui, plus de 15 000 personnes y travaillent.

La compétition

Construit entre 1930 et 1931, l'Empire State Building est le résultat d'une compétition entre Chrysler Corporation (et son Chrysler Building de 320 m) et General Motors. Ce dernier remporta la lutte en dépassant son rival de 60 m. La construction fut fulgurante : un an et quarante-cinq jours. En raison de la dépression économique, il est longtemps resté à moitié vide, d'où son surnom d'*Empty State* (« Empire vide »). Ses promoteurs évitèrent la faillite grâce au succès touristique du belvédère.

Le bâtiment

Dans un souci de rapidité, des éléments préfabriqués ont été utilisés. Les encadrements des 6 500 fenêtres sont en panneaux d'aluminium, et l'ossature se compose de 60 000 t d'acier. On compte dix millions de briques pour l'ensemble de l'édifice. Ce dernier, soutenu par 200 piliers d'acier, pèse en tout 365 000 t. Le site fut ouvert cinq mois avant l'échéance fixée, et, suite à la débâcle économique, le coût de la construction fut moindre que celui initialement prévu. Au rez-de-chaussée, huit vitraux représentant les Sept Merveilles du monde ornent l'ascenseur.

Le belvédère

La flèche qui surplombe la tour fut construite afin d'être un mât d'amarrage pour les dirigeables. Mais l'entreprise se révélant trop risquée, elle se transforma en antenne de télécommunication. La plateforme la plus élevée se trouve au 102e étage (il faut payer un supplément), mais vous jouirez de la meilleure vue sur Manhattan au 86e étage.

> COORDONNÉES

Voir p. 30
350 5th Ave., angle 34th St. (B3)
M° 33rd St. ou 34th St.
☎ (212) 736 31 00
www.esbnyc.com
T. l. j. 8h-2h (dernier ascenseur à 1h15)
Entrée plein tarif : $22.

St Patrick's Cathedral

Perdue entre les buildings, St Patrick's Cathedral n'est pas très impressionnante et c'est pourtant la plus grande cathédrale catholique des États-Unis. L'édifice, de style néogothique, est construit en marbre blanc provenant des carrières de New York et du Massachusetts. Largement inspirée de la cathédrale de Cologne pour ses deux tours et flèches atteignant 101 m, elle est dédiée au saint patron des Irlandais.

La construction

Bâtie au XIXe s., avec des matériaux modernes, par l'architecte James Renwick, la cathédrale fut terminée en 1878. La chapelle de la Vierge (Lady Chapel), construite en marbre du Vermont, fut ajoutée en 1908. La cathédrale possède une nef longue de 90 m, large de 33 m et haute de 34 m, accueillant jusqu'à 2 500 personnes assises.

L'intérieur

En pénétrant dans la cathédrale, vous pourrez admirer les lourdes portes finement sculptées, ornées de grandes figures religieuses. Les 70 vitraux qui éclairent la nef, le déambulatoire et les transepts ont été réalisés à Chartres et à Nantes.

Au-dessus du maître-autel, le sublime baldaquin de bronze est entouré de quatre piliers ornés de statues de prophètes et de saints qui soutiennent la voûte. En 1893, la cathédrale reçut le premier prix d'Art, lors de l'Exposition universelle de Chicago, pour son chemin de croix, composé de bas-reliefs en pierre de Caen. Les célèbres orgues, surplombées d'une rosace de 8 m de diamètre, possèdent plus de 9 000 tuyaux, et l'on peut obtenir jusqu'à 177 jeux différents.

Fêtes et traditions

Un grand nombre de festivités se déroulent autour de Saint-Patrick. Lors des fêtes de Pâques, toute une partie de 5th Avenue est fermée à la circulation pour permettre aux New-Yorkais de s'y promener. Les messes de Noël sont très prisées (et très chères) et, le jour de la Saint-Patrick, un million de personnes défilent devant la cathédrale.

> COORDONNÉES

Voir p. 35

5th Ave., entre E 50th et E 51st St. (B3)
M° 5th Ave. ou 51st St.
☎ (212) 753 22 61
www.saintpatrickscathedral.org
T. l. j. 6h30-20h45
Visites guidées gratuites.

Museum of Modern Art

Ouvert en novembre 1929 à l'initiative de riches mécènes, le Museum of Modern Art (MoMA) est devenu le plus important musée du monde. De nombreuses expositions temporaires sont organisées, indépendamment de la collection permanente qui compte plus de 100 000 acquisitions. À travers la peinture, la sculpture, la gravure, la photographie et l'architecture, vous ferez connaissance avec les mouvements artistiques qui ont marqué le XXe s.

Peinture

La collection est présentée par périodes et par mouvements. L'impressionnisme est principalement présent, avec une salle entièrement consacrée à Claude Monet. Vous y verrez le célèbre triptyque *Les Nymphéas* avec ses jeux de couleurs. Les œuvres postimpressionnistes, telles que *Le Ciel étoilé* de Van Gogh, montrent l'importance donnée aux mouvements et aux couleurs. Ne manquez surtout pas *Les Demoiselles d'Avignon*, œuvre inspirée de l'art africain avec laquelle Picasso donna naissance au cubisme. Dans la salle consacrée au futurisme (la « beauté de la vitesse » selon Marinetti), laissez-vous séduire par le célèbre *Dynamisme d'un joueur de football*, de Boccioni. Au fil de la visite, Munch, Duchamp, Mondrian, Warhol et tant d'autres vous feront découvrir l'évolution de la peinture.

Sculpture

Le musée regorge des œuvres de Bourdelle, Giacometti, César, Noguchi... Mais ne manquez sous aucun prétexte celles de Brancusi *(L'Oiseau dans l'espace)*. Le magnifique Jardin des sculptures détient, entre autres, un superbe *Balzac* de Rodin.

Photographie

La collection de photographies du musée est l'une des plus riches au monde avec plus de 25 000 travaux datant de 1840 à nos jours. Vous trouverez des œuvres d'artistes comme Stieglitz, Arbus, Cartier-Bresson... ainsi que de sublimes nus sur pellicule d'argent par Man Ray.

> COORDONNÉES

Voir p. 35
11 W 53rd St., entre 5th et 6th Ave. (B2)
M° 5th Ave.
☎ (212) 708 94 00
www.moma.org
Mer.-lun. 10h30-17h30, (20h ven.), f. les jours de Thanksgiving et Noël)
Entrée plein tarif : $25, gratuit ven. 16h-20h.

American Museum of Natural History

Ouvert en 1877, le plus grand musée d'Histoire naturelle au monde se divise en vingt-deux bâtiments, et les collections comprennent plus de 32 millions de spécimens. Tous ne sont malheureusement pas exposés. Répartis par thèmes sur quarante salles, tous les aspects de la nature sont étudiés : anthropologie, astronomie, biologie, écologie, minéralogie, ethnographie… Les expositions temporaires sont souvent impressionnantes.

Les dinosaures

Inaugurée en 1995, la collection de dinosaures est le clou de la visite. Après un court film explicatif, vous découvrirez les origines des vertébrés, puis les salles des dinosaures et leurs immenses squelettes méticuleusement reconstitués. La visite est un régal pour les petits comme pour les grands.

Salle des météorites, des minéraux et des gemmes

Plus de 6 000 pierres précieuses (diamants, rubis, émeraudes…) sont exposées, au milieu desquelles trône la sublime Étoile des Indes, le plus gros saphir bleu du monde (563 carats). Découverte au Sri Lanka, elle fut offerte au musée en 1901 par le milliardaire J. P. Morgan.

Océanographie et biologie des poissons

Vous ne pourrez pas manquer l'immense réplique en fibre de verre d'une baleine bleue de 29 m de long. Le diorama représentant un récif des Bahamas est une des merveilles de ce musée !

Les dioramas

Tout au long de la visite, des mises en scène d'animaux sauvages naturalisés les représentent dans leurs milieux naturels. Fidèlement reproduits, les décors sont surprenants de réalisme. Ne manquez pas, au 2e niveau, le diorama consacré aux mammifères d'Afrique.

IMAX Theater

Haut de quatre étages et large de 20 m, l'écran du cinéma IMAX Theater vous propose un film toutes les heures et vous plonge au cœur d'un univers cosmique, naturel ou animal. Cette salle est très bien faite et très impressionnante !

> COORDONNÉES

Voir p. 38

Central Park West, angle 79th St. (A1)
M° 81th St.
☎ (212) 769 51 00
www.amnh.org
T. l. j. 10h-17h45
Donation suggérée : $19 ($33 avec expos temporaires et attractions).

Central Park

Manhattan sans Central Park serait comme un arbre sans vie. Ce parc qui s'étend de 59th à 110th St. sur plus de 340 ha est considéré comme le poumon de l'île. Tous les New-Yorkais s'y côtoient. Un havre de paix, une véritable bouffée d'oxygène au cœur de la ville !

Son élaboration

On pourrait croire qu'il s'agit d'un parc naturel, mais il n'en est rien. En 1857, la ville lança un concours d'architecture pour la création d'un immense parc. Frederick Law Olmsted et Calvert Vaux remportent la compétition avec un projet ambitieux intitulé alors « Greensward Plan ». Sa construction dura seize ans, mobilisant 20 000 ouvriers et nécessitant l'importation de 270 000 arbres, arbustes et plantes diverses. Le budget d'entretien annuel avoisine les 14 millions de dollars ! Le parc ouvrit officiellement en 1873. Après plusieurs rénovations et travaux d'embellissement à la suite des dégâts causés par la crise des années 1930 et les divers rassemblements hippie des années 1970, Central Park est aujourd'hui un véritable joyau dans le paysage urbain.

Quelques curiosités…

En plus du **Metropolitan Museum** (voir p. 43 et 63) et du **zoo** (voir p. 40), Central Park abrite une multitude d'aménagements. Parmi ceux-ci, le **Belvedere Castle**, une structure victorienne perchée sur la plus haute colline, le **Conservatory Garden**, petit jardin botanique, le **Delacorte Theater**, où se produisent diverses troupes de théâtre, le **Loeb Boathouse**, charmant restaurant situé au bord du lac, le **Swedish Cottage**, théâtre de marionnettes, le **Wollman Rink**, pour sa patinoire d'hiver, ou encore le **Dairy** (les fermiers de la région venaient y distribuer leur lait), qui est aujourd'hui le centre d'information touristique.

Sport et loisirs

Jogging, vélo, roller, tennis, natation (oui, il y a même une piscine !), football, baseball, softball, équitation, patin à glace, yoga et tai-chi font partie des sports les plus pratiqués. L'été, Central Park devient un haut lieu culturel où se tiennent des festivals de musique et de théâtre, souvent gratuits.

> COORDONNÉES

Voir p. 39

Parc : t. l. j. 6h-1h

Entrées : 59th St. (sud) ; 110th St. (nord) ; 60th, 65th, 72nd, 79th, 84th, 96th, 102nd St. (est) ; 66th, 72nd, 77th, 81st, 85th, 96th, 100th, 106th St. (ouest) (A1-2/B1-2 et D3)

M° 5th Ave. ; 72nd St. ; 81st St. ; 86th St. ; 96th St. ; 103rd St. et C. Park North.

Informations touristiques :

Dairy Visitor Center

(au milieu du parc, au niveau de 65th St.)

☎ (212) 794 65 64

www.centralpark.com

T. l. j. 10h-17h.

The Frick Collection

L'hôtel particulier d'Henry Clay Frick (1849-1919), érigé en 1913, est devenu l'un des musées les plus prisés de la ville. Après quarante ans d'acquisitions, ce magnat de l'acier a légué une inestimable collection d'œuvres d'art très variées, datant du XIVe au XIXe s. Quatorze salles, luxueuses et intimes, regroupent toiles de maîtres, mobilier français, porcelaines du XVIIIe s., bronzes de la Renaissance, meubles, tapis et émaux de Limoges.

Boucher Room

La salle Boucher est une reconstitution d'un boudoir du XVIIIe s., décoré par *Les Arts et les Sciences,* une œuvre du peintre en huit panneaux, à l'origine destinés à la bibliothèque de Mme de Pompadour.

Fragonard Room

Cette magnifique salle propose onze peintures de Fragonard intitulées *Les Progrès de l'amour*. Quatre d'entre elles décrivent la conquête amoureuse : la poursuite, la rencontre, l'amant et les lettres d'amour. De nombreuses pièces de mobilier français du XVIIIe s. occupent la salle, dont une remarquable commode Louis XVI de Lacroix. Sur la cheminée, admirez un buste en marbre de la comtesse du Cayla sculpté par Houdon.

Living Hall

L'une des plus belles salles reste le salon, qui regroupe les principales œuvres du musée, telles que *L'Homme à la toque rouge,* du Titien, et le *Saint Jérôme,* d'El Greco. Le portrait de *Sir Thomas More,* conseiller d'Henri VIII, par Holbein le Jeune, est une merveille. N'hésitez pas à faire un arrêt dans le paisible patio : entre son bassin et ses plantes tropicales trône un ange de bronze de Jean Barbet.

West Gallery

La galerie ouest qu'éclaire une verrière expose des œuvres majeures de la collection. Dans *Le Soldat et la jeune fille riant* et *La Leçon de musique interrompue*, le peintre Vermeer suspend le temps grâce à son célèbre jeu d'ombre et de lumière. La salle abrite également des tableaux de Van Dyck, Vélasquez et Rembrandt.

> COORDONNÉES

Voir p. 41
1 E 70th St., angle 5th Ave. (B2)
M° 68th St.
☎ (212) 288 07 00
www.frick.org
Mar.-sam. 10h-18h, dim. 11h-17h ; f. j. fériés
Entrée plein tarif : $18, *pay what you wish* dim. 11h-13h (interdit aux enfants de moins de 10 ans).

Whitney Museum of American Art

Ce musée est l'un des plus enthousiasmants de la ville. Construit en forme de pyramide retournée, le sobre mais imposant bâtiment de trois étages est en béton et granite gris. Il fut réalisé en 1966 par Marcel Breuer, grand professeur à l'école du Bauhaus. Le musée regroupe aujourd'hui la plus vaste collection mondiale d'art américain du XXe s.

Les origines

Le musée fut fondé en 1931 par la milliardaire Gertrude Vanderbilt Whitney, sculpteur et grande collectionneuse d'œuvres d'art. Après avoir essuyé un refus du Metropolitan Museum of Art pour la donation de ses 600 œuvres d'art, elle prend le parti de les exposer dans son atelier de Greenwich Village. Quelques années plus tard, devant le succès remporté par la collection, elle crée son propre musée.

Les collections

Le musée détient une collection de 12 000 œuvres des plus grands peintres du XXe s. (Hopper, Kooning, Demuth, Gorky, Pollock, Warhol) et de sculpteurs (Calder, Nevelson, Noguchi, David Smith).
À l'entrée, ne manquez pas le célèbre *Circus,* de Calder, l'une des rares œuvres à être exposée en permanence. À voir également, la superbe sculpture *Tango,* d'Elie Nadelman. Une partie du musée est consacrée aux arts cinématographiques d'avant-garde.

Edward Hopper

La collection de tableaux du peintre est l'une des plus importantes au monde. Vous y verrez les tableaux *Early Sunday Morning* (1930) et *A Woman in the Sun* (1961), dans lesquels les lieux publics reflètent solitude et incommunicabilité.
Le musée présente aussi les nouvelles tendances de l'art américain à l'occasion de ses expositions biennales. Les artistes en vogue les plus prometteurs y participent. Ces expositions novatrices et osées sont très controversées dans le monde de l'art.

> COORDONNÉES

Voir p. 41
945 Madison St., angle E 75th St. (B1)
M° 77th St.
☎ (212) 570 36 00
www.whitney.org
Mer.-jeu. et sam.-dim. 11h-18h, ven. 13h-21h
Entrée plein tarif : $18, *pay what you wish* ven. 18h-21h.

Solomon R. Guggenheim Museum

Issu d'une famille suisse fortunée, Solomon R. Guggenheim (1861-1949) s'intéresse à l'art moderne grâce à Hilla Rebay. Devenue sa conseillère artistique, cette artiste allemande lui apprend à apprécier l'art abstrait. Il rencontre alors Delaunay, Léger, Chagall et Kandinsky, et, en 1943, fait appel à l'architecte Frank Lloyd Wright pour bâtir un musée d'art « non objectif », achevé en 1959. Le musée est une œuvre d'art à lui tout seul et contient aujourd'hui un fonds de plus de 6 000 œuvres.

Le bâtiment

Afin que le bâtiment soit en symbiose avec les œuvres qu'il abrite, Wright utilisa des matériaux et des formes géométriques modernes : « Ici, on trouve l'idéal que je propose pour l'architecture de l'âge de la machine. » Le bâtiment ressemble à un escargot dont la grande rotonde abrite les expositions temporaires, et la petite des œuvres impressionnistes. La collection permanente se situe dans la galerie de la tour : haute de six étages, elle monte en spirale sur 800 m, permettant une exposition chronologique.

La collection Thannhauser

En 1963, le collectionneur Justin K. Thannhauser lègue sa collection de soixante-quinze tableaux et sculptures au musée Guggenheim, dont beaucoup d'œuvres impressionnistes et postimpressionnistes. Vous y verrez *La Femme au perroquet* de Renoir, *Montagnes à Saint-Rémy,* de Van Gogh et *La Repasseuse,* de Picasso.

La collection Kandinsky

Les passionnés de Wassily Kandinsky trouveront ici l'une des plus grandes collections au monde du peintre, avec 180 tableaux. Parmi eux, ne manquez pas *Composition VIII* et *Accompagnement jaune*. Le musée possède aussi des œuvres de Delaunay, Mondrian, Malevitch, ainsi qu'une grande collection de Paul Klee. En matière de sculpture, la préférence du collectionneur va à Calder, Giacometti et Brancusi.

> COORDONNÉES

Voir p. 42
1071 5th Ave., angle E 89th St. (B1)
M° 86th St.
☎ (212) 423 35 00
www.guggenheim.org
Dim.-mer. et ven. 10h-17h45, sam. 10h-19h45
Entrée plein tarif : $18, *pay what you wish* sam. 17h45-19h45.

Metropolitan Museum of Art

Créé en 1870 par un groupe de riches Américains, ce musée possède dix-huit départements sur 10 ha et plus de deux millions d'objets au sein de sa collection permanente ! On doit sa façade en calcaire gris de style Beaux-Arts à Richard Morris Hunt.

L'art américain

De l'époque coloniale à nos jours, vous découvrirez l'évolution de l'art américain. De sublimes intérieurs sont reconstitués : ne manquez pas la salle à manger dessinée par Wright. Certains portraits de George Washington par Gilbert Stuart sont exposés ainsi que le célèbre portrait, *Madame X*, de Sargent. À voir aussi, les peintures d'Edward Hopper.

Peintures, sculptures et arts décoratifs d'Europe

Le département possède 3 000 toiles européennes. Vous découvrirez notamment des chefs-d'œuvre de l'art flamand, dont *Les Moissonneurs*, de Bruegel. Deux salles sont également consacrées à Rembrandt. Parmi les plus grands peintres, la collection réunit des toiles de Rubens, Vermeer, Vélasquez, Goya, Watteau, Monet, Cézanne... et la célèbre *Diseuse de bonne aventure*, de Georges de La Tour. Les reconstitutions de salons parisiens du XVIIIe s. sont surprenantes. L'aile Gravis abrite 60 000 sculptures et objets d'art décoratif, dont *La Main de Dieu*, de Rodin.

Antiquités égyptiennes

Un des musts du musée reste l'importante collection de sarcophages, sculptures, objets funéraires et bijoux couvrant cinq millénaires. Le temple de Dendur, à ne manquer sous aucun prétexte, est un cadeau du gouvernement égyptien aux États-Unis en 1965, en remerciement de leur contribution au sauvetage du temple d'Abou-Simbel.

The Cloisters

Il serait dommage de manquer cette branche du musée consacrée à l'art et à l'architecture de l'Europe médiévale. Installé au nord de Manhattan, au sein du Fort Tryon Park, le site est en lui-même un véritable havre de paix et offre une magnifique vue plongeante sur l'Hudson River et le New Jersey.

Fort Tyron Park
99 Margaret Corbin Drive
(HP par C1)
M° 190th St. (ligne A)
☎ (212) 923 37 00
Mars-oct. : mar.-dim. 9h30-17h15, nov.-fév. : mar.-dim. 9h30-16h45
Accès payant (billet valable le même jour pour le MET).

> COORDONNÉES

Voir p. 43
1000 5th Ave.,
angle E 82nd St. (B1)
M° 86th St.
☎ (212) 535 77 10
www.metmuseum.org
Mar.-jeu. et dim. 9h30-17h30, ven.-sam. 9h30-21h
Donation suggérée ($25).

Une ville tout en hauteur

New York est indissociable de ses gratte-ciel, que vous croiserez tout au long de vos balades. Fruit d'une étroite coopération entre l'art et l'avancée technologique, le gratte-ciel est un véritable témoignage de son époque. Classicisme, Art déco, architecture postmoderne... Voici toutes les clés pour les décrypter.

L'ascenseur et le métal : aux origines des gratte-ciel

Le gratte-ciel apparaît à partir de 1880 dans les deux plus importants centres urbains américains de l'époque : New York et Chicago.
Au lendemain de la guerre de Sécession, les villes du Nord-Est et du Midwest, déjà prospères et dynamiques, croissent en effet de façon vertigineuse en raison de l'afflux de nouveaux arrivants. Avec l'invention de l'ascenseur et celle de l'ossature métallique qui permet une construction légère, les gratte-ciel peuvent désormais s'élever dans le ciel.

Les premiers édifices : classicisme et inspiration historique

Dès le début du siècle dernier, New York témoigne de réalisations impressionnantes, comme le Fuller Building (ou Flatiron, voir p. 28), colonne majestueuse construite par Burnham en 1902 à l'angle de Broadway et de 5th Avenue. Ce style, encore plein de retenue, laisse place, à l'aube du XXe s., à des constructions qui se parent de décors inspirés de l'Antiquité ou encore d'éléments gothiques.

Le triomphe de l'Art déco

Dans les années 1920, c'est le boom de la construction. L'Art déco triomphe et donne aux nouveaux gratte-ciel plus d'éclat et d'élégance. New York transpose les rythmes et les couleurs du jazz dans son architecture. Les gratte-ciel s'habillent de motifs décoratifs répétitifs où l'on recherche les effets de symétrie. Un des plus beaux immeubles de cette époque, le Chrysler Building (voir p. 33), est entièrement revêtu de plaques d'acier inoxydable.

Le style international

Après la Seconde Guerre mondiale, la construction des gratte-ciel s'accélère. Les matériaux utilisés – l'acier, le verre et l'aluminium – permettent l'apparition du mur-rideau et créent des compositions plus régulières et dépouillées qui proscrivent les motifs décoratifs et les ornements : c'est le style international, qui règne à Tokyo, à la Défense ou à Rio. New York compte de nombreux gratte-ciel de ce genre, comme le Lever House (1952) sur Park Avenue ou le Seagram Building (1958).

Le clin d'œil postmoderne

En réaction au style international froid et sec, ces quarante dernières années ont vu le retour d'un art plus fantaisiste, jouant de formes insolites : l'architecture postmoderne. Des gratte-ciel de Times Square à ceux de Battery Park en passant par le Sony Building (550 Madison Ave. ; voir p. 115), les architectes comme Ieho Ming Pei, Philip Johnson ou Cesare Pelli (World Financial Center) ont réalisé des tours spectaculaires où se juxtaposent les éléments décoratifs, le retour aux matériaux nobles et les allusions au passé, avec parfois un certain goût du tape-à-l'œil.

Skyscraper Museum

Si les gratte-ciel vous passionnent, faites un tour dans ce musée du bas de la ville. Méconnu du grand public (peut-être à cause de sa toute petite superficie), il présente pourtant des expositions fort intéressantes et riches en informations, sur ces édifices si fascinants que sont les gratte-ciel. Que ce soit à propos d'un bâtiment en particulier, d'un quartier ou d'une ville (les expositions ne concernent pas que New York), vous découvrirez tout sur leur histoire, leur fabrication et leur impact à l'aide de dessins, de maquettes, d'archives, de vidéos, etc.

39 Battery Place, entre Little W St. et 1st Place (B6)
M° Bowling Green – ☎ (212) 968 19 61 – www.skyscraper.org
Mer.-dim. 12h-18h – Entrée plein tarif : $5.

La capitale de la « Terre promise »

À lire avant ou après votre visite d'Ellis Island (voir p. 10). Ces informations vous permettront de comprendre pourquoi New York fascine et attire des foules d'immigrants venant y chercher fortune depuis si longtemps.

À la découverte du site

C'est en 1524 que le Florentin Verrazano découvre le site de Manhattan. En 1609, l'Anglais Hudson, au service des Hollandais, remonte le fleuve qui portera son nom. Le site de La Nouvelle-Amsterdam – l'extrême sud de Manhattan – est ensuite choisi par les Hollandais pour des raisons stratégiques. Reprise par les Anglais en 1664, la ville est rebaptisée « New York » en l'honneur du duc d'York, le futur Jacques II. Première capitale des États-Unis d'Amérique de 1785 à 1790, elle perd ensuite son titre au profit de Philadelphie.

L'île de Manhattan, gravure ancienne de la fin du XIXe s.

L'organisation du carrefour new-yorkais

À partir du XIXe s., New York décolle grâce à sa situation exceptionnelle d'avant-port des grands lacs (c'est sur l'Hudson que Fulton essaie, en 1807, son bateau à vapeur), et la ville s'impose vite comme la porte de l'Amérique. Port de débarquement des immigrants, c'est ici que convergent, dès 1850, les grandes voies ferrées qui permettent d'accéder à un arrière-pays étendu jusqu'aux Rocheuses. De 1860 à la fin du siècle, la croissance se manifeste dans tous les domaines, et la population augmente à un rythme rapide. Au XXe s., le métro, les transports urbains et les aéroports achèvent d'irriguer le grand carrefour new-yorkais.

Ellis Island : aux portes de la « Terre promise »

Dans la baie de New York, Ellis Island est l'île où débarquèrent et transitèrent 17 millions d'immigrants entre 1892 et 1954. C'est sur l'« Île des Larmes » que les familles étaient parfois séparées et que les immigrants, marqués à la craie, recevaient une nouvelle identité avant d'être jetés dans le Nouveau Monde. Aux baraquements en bois succéda un bâtiment de style Art nouveau, où toutes les personnes qui arrivaient étaient contrôlées. Rénové et transformé en musée (voir p. 10 et 53), il conserve des témoignages émouvants.

La Liberté éclairant le monde

Au large de la pointe sud de Manhattan s'élève le monument le plus célèbre de New York : la statue de la Liberté (voir p. 10 et 52). Sculptée par Frédéric Auguste Bartholdi sur une charpente de Gustave Eiffel, elle a été offerte par la France aux États-Unis en 1886, et restaurée récemment par des artisans français. La colossale figure de la Liberté mesure 46 m de haut sans le piédestal. La tablette qu'elle tient à la main est datée du 4 juillet 1776, date de la proclamation de l'indépendance américaine. Personnification de la liberté, elle a servi de symbole aux manifestations chinoises sur la place Tian'anmen en mai 1989.

Le Lower East Side : berceau de l'immigration

Le premier quartier de l'immigration à New York fut le Lower East Side (voir p. 16). Les Irlandais puis les Juifs d'Europe centrale s'y installèrent dans des logements vétustes et dépourvus d'hygiène. Les conditions de vie misérables stimulèrent la solidarité, et le Lower East Side fut ainsi le foyer d'une prise de conscience sociale et d'une organisation communautaire qui perdure. Aujourd'hui, malgré son aspect toujours un peu sinistre par endroits, cette partie de Manhattan est devenue un quartier très à la mode, comme en témoigne l'installation récente de bars et restaurants branchés, de boutiques de créateurs et même d'hôtels de luxe !

> « Ta torche éclaire New York, mais ta lumière brille à tous les coins du monde. »
> Melech Ravitch, 1883.

Melting-pot ou bombe à retardement ?

De Chinatown à Little Italy (voir p. 14), en passant par le Lower East Side (voir p. 16), le caractère cosmopolite de New York se rappellera en permanence à vous. Certaines communautés continuent même parfois à vivre entre elles dans des quartiers comparables à des ghettos.

« De quel quartier ethnique êtes-vous ? »

Traditionnellement, les immigrés russes vivent à Brooklyn, dans le quartier de Brighton Beach ; les Chinois ont installé leur Chinatown à Manhattan ou dans le quartier de Flushing (Queens), et les Polonais, quant à eux, habitent Greenpoint (Brooklyn).
Le vieux quartier de Little Italy, que les Italiens ont quitté depuis bien longtemps pour s'installer autour d'Arthur Avenue dans le Bronx, est grignoté par les Chinois, dont la population a quintuplé en trente ans. Quant aux Hispaniques, très présents dans le Lower East Side, ils se

disputent le Bronx et Harlem avec les Noirs américains. Aujourd'hui, le regroupement de chaque minorité s'opère souvent à l'échelle des pâtés de maisons.

Anciennes et nouvelles minorités

En 1945, neuf New-Yorkais sur dix étaient des Blancs. Les immigrés venaient presque exclusivement d'Europe. En 1965, lorsque les quotas d'immigration furent supprimés, près de trois millions d'immigrants arrivèrent à New York : Jamaïcains, Dominicains, Mexicains, Coréens, Pakistanais, Indiens et Chinois. Aujourd'hui, la ville de New York est plus métissée que jamais : un habitant sur trois est né à l'étranger. En revanche, depuis ces dix dernières années, la population blanche augmente significativement, tandis que la population noire américaine semble diminuer.

L'empreinte de la communauté juive

Précédant Jérusalem ou Tel-Aviv, New York est la première ville juive du monde, au point qu'à travers les États-Unis le mot « New Yorker » signifie souvent « juif ». Ainsi, vous trouverez de nombreux commerces d'alimentation casher. Dans les années 1950, beaucoup de juifs quittèrent leurs quartiers de Manhattan, comme le Lower East Side, pour s'établir à Brooklyn et sur Long Island.

Confrontations

L'arrivée d'immigrants de cultures très différentes provoque parfois des confrontations savoureuses ou brutales. Avec le recul, il apparaît que les brassages intercommunautaires ou les mariages mixtes sont rares. Les Portoricains

trouvent que les Mexicains parlent mal l'espagnol (!), tandis que ces derniers s'entendent très bien avec les Grecs ou les Chinois, qui leur procurent des petits boulots. En bref, même si chacun se sent New-Yorkais, chaque communauté ethnique revendique ses particularismes et maintient sa culture.

Agenda des communautés minoritaires

- **Fin janvier ou février (en fonction de la pleine lune) :** *Nouvel An chinois* dans Chinatown (pendant quinze jours).
- **Mars :** *Saint-Patrick* (17 mars), patron des Irlandais : parade sur 5th Ave., depuis l'église Saint-Patrick jusqu'à 86th St. (infos au ☎ (212) 484 12 22) ; *Greek Day Parade* (25 mars), sur 5th Ave. : danses et défilé en costumes folkloriques.
- **Avril :** *Passover*, la Pâque juive.
- **Juin :** *Israel Parade*, sur 5th Ave. (début juin) ; *Puerto Rican Day Parade*, parade des Portoricains sur 5th Ave. (infos au ☎ (718) 401 04 04 et sur www.nationalpuertoricandayparade.org).
- **Août :** *Harlem Week*, le plus grand festival black et latino (musique, danse, cinéma... débute en juil. ; infos sur www.harlemweek.com) ; *St Stephen's Day Parade*, par la communauté hongroise, sur 86th St. E (mi-août) : parade à cheval.
- **Septembre :** *Rosh Hashannah*, le Nouvel An juif, puis *Yom Kippur*, jour du Pardon ; *San Gennaro*, dix jours de fêtes à caractère religieux et profane dans Little Italy sur Mulberry St. pour fêter saint Gennaro (infos au ☎ (212) 768 93 20 et sur www.sangennaro.org) ; *West Indian Day Carnival*, festival antillais à Brooklyn (1er w.-e. de sept. ; infos au ☎ (718) 467 17 97 et sur www.wiadca.org).
- **Octobre :** *Pulaski Day Parade* (1er dim. d'oct.), fête polonaise sur 5th Ave. (infos sur www.pulaskiparade.com) ; *Hispanic America Day Parade*, sur 5th Ave., entre 57th et 86th St. (mi-oct.).
- **Décembre :** *Hannukah*, fête juive de huit jours.

New York, capitale mondiale de l'art

Tout le monde vous le dira : New York est une véritable Mecque culturelle depuis la seconde moitié du XXe s. Ici, l'art n'est pas seulement une pratique ou un objet de consommation : il est devenu un véritable mode de vie.

Galeries et musées : les incontournables lieux d'art

Avec 45 musées, plus de 600 galeries d'art, de remarquables bibliothèques et des lieux de spectacles exceptionnels rien qu'à Manhattan, New York est la capitale culturelle des États-Unis. Très répandue, la pratique du mécénat privé stimule la créativité ; cela contribue à créer en ville un climat de « haute tension culturelle » presque palpable.

Design intérieur : l'*Art Furniture*

New York abrite de nombreux designers qui réalisent, à l'unité, objets ou meubles originaux. Ils appartiennent au mouvement de l'*Art Furniture,* et leurs meubles, réalisés artisanalement, sont un pied de nez aux créations industrielles produites en série. Ces artistes prétendent ainsi faire réfléchir leurs contemporains sur les dangers de la vie technologique et standardisée. C'est au Cooper-Hewitt National Design Museum que vous pourrez découvrir tout le design et les arts décoratifs américains (voir p. 42).

Mode : « prêt-à-jeter sur mesure »

Centre incontesté de l'industrie américaine du vêtement,

New York est une vitrine des styles et des modes. Les jeunes stylistes du prêt-à-porter exposent dans des showrooms. Si vous voulez être au fait de toutes les dernières tendances qui feront la une des collections américaines de demain, allez y jeter un œil.

La *New Music* : expérimentation sonore

La *New Music* doit beaucoup aux compositions novatrices de Charles Ives et de John Cage. Élargissant les possibilités qu'offrent les percussions, elle cherche à gagner le jazz et surtout le rock. La *New Music*, c'est la musique des lofts,

des espaces expérimentaux et multimédias. Des musiciens tels que Philip Glass ou Laurie Anderson en sont de bons représentants.

Presse

Les grands magazines d'idées, notamment *New York Review of Books* et *Commentary Magazine* (le premier étant démocrate et le second conservateur), sont publiés à New York. Le journal le plus prestigieux des États-Unis, le *New York Times*, y a également son siège. Les meilleurs auteurs, critiques et journalistes alimentent le magazine intello *The New Yorker*, qui donne, à travers ses colonnes, ses caricatures, son agenda et sa rubrique *Talk of the Town*, (« Ce qui se dit en ville »), un bon aperçu de la vie et de la culture new-yorkaises. On compte seize quotidiens en langue étrangère, une centaine d'hebdomadaires ethniques et un nombre incalculable de revues, dans à peu près tous les idiomes du monde. Ne ratez pas les publications locales de chaque quartier : elles donnent un aspect pittoresque aux multiples villages de New York.

Andy Warhol, star du pop art

Dans les années 1960, Andy Warhol dessinait des chaussures pour la publicité et décorait des vitrines de magasin. Au moment où l'Amérique subissait la blessure du Vietnam, la mort de Martin Luther King, de Kennedy et de Marilyn Monroe, Warhol se mit à peindre des boîtes de soupe, des bouteilles de Coca et des portraits en série de Liz Taylor ou de Marlon Brando, en utilisant la technique de la sérigraphie. Il lança le fameux mouvement du pop art, tandis que son atelier, la Factory, devint le lieu de rendez-vous de tout ce que Manhattan comptait de gens chic et branchés, dont les fameux membres du Velvet Underground.

Une ville aux architectures multiples

Même si l'île de Manhattan est réputée pour ses gratte-ciel et ses larges avenues, elle renferme de nombreuses autres spécificités architecturales sur lesquelles il serait dommage de ne pas s'attarder. À l'ombre de ses immenses tours, New York est une ville aux multiples visages dont les différents quartiers forment un patchwork de styles qui lui offre toute sa richesse et son identité.

Downtown, berceau de l'histoire

Il suffit de se promener à travers le dédale des rues

étroites et éventées du bas de la ville pour ressentir aujourd'hui encore les vestiges de la présence des Hollandais, premiers colonisateurs de l'île dès le XVIIe s. (voir p. 66). Un exemple de ce style d'édifices est visible sur Pearl St. (B6). Plus généralement, le périmètre situé à l'est de Broadway et au sud de Wall St. (dont le nom atteste des anciennes fortifications) vous transportera dans une autre époque grâce à ses ruelles grossièrement pavées et à ses maisons faites de pierres et de briques.

Le Village… la campagne à la ville !

Avec ses airs de campagne tantôt chic, tantôt bohème,

le Village (qui comprend Greenwich et le West Village, voir p. 22) apporte douceur et calme à la ville. Vous croiserez uniquement des petites maisons ou des immeubles de briques à quatre ou cinq étages. Son tracé anarchique, par opposition avec le quadrillage du reste de la ville, invite à s'y perdre. Les ruelles étroites et les façades colorées ont un charme exceptionnel ! Parmi les petits trésors à ne pas manquer : St Luke's Place (situé au cœur de Leroy St., entre Hudson St. et 7th Ave. – G7), Grove St. (voir p. 23) et Bedford St. (G7), qui renferme la plus petite maison du quartier (au numéro 75 1/2).

Les *brownstones*, l'élégance new-yorkaise

Le *brownstone* est un grès rouge utilisé pour la construction de maisons. Les premiers édifices sont apparus à New York au milieu du XIXe s. Le terme « *brownstones* » désigne également une série de maisons alignées et identiques dont l'entrée principale est surélevée par rapport au niveau de la rue. On y accède grâce à de petits escaliers extérieurs. Les *brownstones* bénéficient aussi de très larges fenêtres et de bow-windows, qui viennent ajouter de l'élégance au bâtiment. Les plus beaux exemples de cette architecture se trouvent à Harlem (voir p. 44) et dans le quartier de Park Slope à Brooklyn (voir p. 48).

Cast-iron buildings, les prémices des gratte-ciel

Cette architecture, liée à la révolution industrielle, apparaît à la fin du XIXe s. Les *cast-iron buildings* sont des édifices constitués d'une structure en métal à laquelle vient s'ajouter une façade de fonte. Du fait de la solidité des matériaux, cette nouvelle technique de construction a permis aux architectes de projeter des bâtiments de plus en plus hauts. Les façades, agrémentées de colonnes d'ordre dorique, ionique ou corinthien, sont majestueuses. Le quartier de SoHo (voir p. 20) renferme la plus grande concentration de *cast-iron buildings* de toute la ville. Au départ, il ne s'agissait que d'immeubles commerciaux, mais aujourd'hui, après avoir servi d'ateliers d'artistes dans les années 1970, ces bâtiments ont été transformés en lofts de luxe très prisés des New-Yorkais.

Le « chic » industriel

New York, ville moderne et futuriste, renferme aussi quelques quartiers underground, anciennement industriels, devenus chic et prisés pour leur vocation : ils sont les épicentres des arts, de la mode et de la vie nocturne. C'est le cas du Meatpacking District (voir p. 24) et de ses anciens abattoirs, de Chelsea et de ses nombreux entrepôts (voir p. 26), ou encore du quartier de DUMBO, à Brooklyn, et de ses usines de fabrication de machines et d'outillage (voir p. 49). Tous ces espaces, transformés aujourd'hui en lofts, font partie intégrante du charme de la ville et de son côté cinégénique pittoresque.

Un autre paysage urbain

Manhattan possède un atout majeur : celui d'être une île ! L'Hudson River (à l'ouest) et l'East River (à l'est), en plus d'oxygéner la ville, transforment le paysage urbain en passant de la verticalité des tours à l'horizontalité de l'eau. Ils offrent de très beaux points de vue à la ville. Des promenades arborées ont été aménagées le long des fleuves, principalement à l'ouest (voir p. 13).

Enclaves et châteaux d'eau

Dans les années 1800, la ville de New York impose que tout immeuble de plus de six étages possède un château d'eau sur son toit. Devenus un des emblèmes de la ville, ils continuent d'orner le ciel de Manhattan ! Autre curiosité architecturale : de petites enclaves qui, le temps d'une cour ou d'une impasse, forment un minivillage au sein de la ville. Grove Court (voir p. 23), Washington Mews (autour de 5th Ave. au sud de 8th St. – H6), Sniffen Court (150-158 E 36th St., entre Lexington et 3rd Ave. – B3)... il y en a partout. Ouvrez l'œil !

Restaurants
mode d'emploi

Au menu

Avec près de 20 000 restaurants, vous n'aurez que l'embarras du choix ! Reflet du melting-pot culturel et ethnique de la ville (pour en savoir plus, voir p. 68), toutes les cuisines du monde et tous les régimes (végétarien, bio, casher, halal…) cohabitent (pour en savoir plus, voir p. 88). Les portions sont généreuses : repartez avec vos restes en demandant votre *doggy bag* ! Copieux, le *breakfast* (petit déjeuner) peut constituer un vrai repas, le *lunch* (déjeuner) est plus léger et les plats sont moins chers que ceux du soir (*dinner*). Ne manquez pas le brunch du week-end (de 11h à 16h), à mi-chemin entre le petit déjeuner et le *lunch*… Un incontournable !

Les institutions

Expérience new-yorkaise par excellence, le **steakhouse** est un restaurant où l'on ne sert que de la viande, en quantité et très chère. L'authentique **delicatessen** sert de la cuisine juive et les plus célèbres spécialités new-yorkaises (sandwichs au *pastrami*, corned-beef, bagels). Pour le côté pittoresque, on trouve encore des **diners** à l'ancienne avec tables en Formica, cuisine traditionnelle et café à volonté.

En pratique

Les restaurants proposent souvent un service continu, et il n'est pas rare de voir les New-Yorkais manger à toute heure. Réservez très à l'avance pour obtenir une table dans un restaurant à la mode. Les prix indiqués sur les cartes sont toujours hors taxe. Celle-ci s'élève à 8,875 % et augmentera vite votre addition, à laquelle il faudra aussi ajouter le *tip* (« pourboire », 15 à 20 % du montant de la note), obligatoire. Celui-ci est parfois ajouté d'office *(gratuity)*. Pensez toujours à avoir de l'argent liquide, car les cartes de crédit ne sont pas acceptées partout (*cash only*).

SE REPÉRER

Nous avons indiqué pour chaque adresse Restaurant sa localisation sur le plan général (B2, G8…). Pour un repérage plus facile, nous avons signalé sur le plan par un symbole jaune toutes les adresses de ce chapitre.
Le numéro en jaune signale la page où elles sont décrites.

Notre Top des adresses pour manger sur le pouce

Pour manger sans se ruiner, les options sont légion. Les *Delis* (épiceries de quartier), *salad bars*, *coffee shops*, fast-foods et restaurants asiatiques sauront satisfaire à merveille les petits budgets.

- **Cafe Gitane**
  Meatpacking District – *Voir p. 25.*
- **Chelsea Market**
  Chelsea – *Voir p. 26.*
- **Alice's Tea Cup**
  Central Park West – *Voir p. 39.*
- **Katz's Deli**
  Lower East Side – *Voir p. 78.*
- **'Inoteca**
  Lower East Side – *Voir p. 78.*
- **Café Mogador**
  East Village – *Voir p. 79.*
- **Tartinery NoLIta**
  SoHo/NoLIta – *Voir p. 80.*
- **Once Upon a Tart**
  SoHo/NoLIta – *Voir p. 81.*
- **Eataly**
  Madison Square / Union Square – *Voir p. 84.*
- Ne manquez pas également les *carts* des vendeurs ambulants qui fleurissent à tous les coins de rue et proposent cuisine indienne, hot dogs ou bretzels géants à prix mini – *Voir p. 88.*

Notre Top des hamburgers

Le burger est une véritable institution à New York et ne rime pas toujours avec junk food ! Classique ou inventif, il est partout, à tous les prix et se déguste à toute heure, au détour d'un *truck*, dans un vieux bistrot populaire ou à la table chic d'un grand restaurant. Le petit sandwich né à Hambourg aurait fait le voyage jusqu'en Amérique avec les immigrés allemands au XIXe s. Notre préféré ? Sans hésitation, le burger bio de Shake Shack ! Une viande moelleuse et juteuse dans un bun brioché, inoubliable…

- **Zaitzeff Burger**
  East Village
  Voir p. 79.
- **BLT Burger**
  Greewich Village
  Voir p. 81.
- **The Spotted Pig**
  West Village
  Voir p. 81.
- **Corner Bistro**
  Meatpacking District
  Voir p. 82.
- **Shake Shack Burger**
  Madison Square
  Voir p. 84.
- **« 21 » Club**
  Rockefeller Center
  Voir p. 85.

Nos restaurants par quartiers

1 - SuteiShi
2 - Adrienne's Pizza Bar
3 - Bubby's
4 - Financier Patisserie

SuteiShi

24 Peck Slip, angle Front St. (B6)
M° Fulton St.-Broadway Nassau
☎ (212) 766 23 44
www.suteishi.com
Lun.-jeu. 12h-15h30 et 17h30-22h30, ven. 12h-15h30 et 17h30-23h30, sam. 12h-23h30, dim. 15h-22h
Plat principal : env. $25.

Voici une adresse qui mêle raffinement japonais et ambiance new-yorkaise, et où il fait bon s'attabler. Si vous aimez les sushis, vous serez ravi ! Préparées avec le plus grand soin, ces petites miniatures de riz et de poisson cru fondent en bouche comme des bonbons. Leurs spécialités (sushis maquereau/gingembre/échalotes, anguille/avocat ou encore thon/ail) sont de purs délices... La carte propose aussi de nombreux plats (japonais bien entendu) tout aussi savoureux.

Adrienne's Pizza Bar

54 Stone St. (B6)
M° Wall St.
☎ (212) 248 38 38
www.adriennespizzabar.com
Lun.-sam. 11h30-minuit, dim. 11h30-22h
Pizza : env. $13.

Sans doute l'un des endroits les plus fréquentés du quartier financier. Dans un espace tout en longueur (une seconde entrée se trouve sur Pearl St.) et très contemporain, vous dégusterez de succulentes pizzas à la pâte fine et croustillante ! Des pizzas rondes traditionnelles *(romana, siciliana, napoletana...)* ou moins classiques, comme la dénommée *old fashioned* (pour deux ou trois personnes) prédécoupée et servie dans un immense plat rectangulaire. Le petit plus ? Vous choisissez vos ingrédients...

Nelson Blue

233-235 Front St., angle Peck Slip (B6)
M° Brooklyn Bridge-City Hall ou Fulton St.-Broadway Nassau
☎ (212) 346 90 90
www.nelsonblue.com
Lun.-jeu. 11h30-2h30, ven.-sam. 11h30-4h, dim. 11h30-2h
Sandwich : env. $12.

Le Nelson Blue est un bar-restaurant néo-zélandais. Une cuisine méconnue, qui n'hésite pas à marier les saveurs sucrées et salées. De délicieuses petites brochettes d'agneau, saumon, crevettes... ($4,95) et un sandwich au poulet inoubliable ($12) !

Financier Patisserie

• 62 Stone St., angle Pick St. (B6)
☎ (212) 344 56 00
Lun.-ven. 7h-20h, sam. 8h30-18h30
• 35 Cedar St. (B6)
☎ (212) 952 38 38
Lun.-ven. 6h30-20h, sam. 8h-19h, dim. 8h-18h
M° Wall St.
Sandwich, salade : env. $9.

Cette luxueuse pâtisserie est devenue l'une des adresses phares du quartier financier. En plus de ses succulents et élégants gâteaux (tartes, éclairs, millefeuilles, opéras, fraisiers, etc.), la carte propose des soupes, des quiches, des salades et des sandwichs tous plus délicieux les uns que les autres.

TriBeCa

Visite 2 – p. 12

The Harrison

355 Greenwich St., angle Harrison St. (G8)
M° Franklin St.
☎ (212) 274 93 10
www.theharrison.com
Déjeuner : lun.-ven. 11h-14h30
Dîner : lun.-jeu. 17h30-22h, ven.-sam. 17h30-23h, dim. 17h-22h
Plat principal : env. $25.

Voici l'une des adresses phares de TriBeCa. Vous y dégusterez une audacieuse cuisine nord-américaine contemporaine (sucré et salé font souvent bon ménage !) dans une ambiance de brasserie chic. Ajoutez à cela une superbe carte des vins, qui vous garantit de passer un très bon moment.

VCafé

345 Greenwich St., entre Harrison St. et Jay St. (G8)
M° Franklin St.
☎ (212) 431 58 88
www.viet-cafe.com
Lun.-ven. 11h30-22h, sam. 12h-23h
Plat principal : env. $22.

Les restaurants se succèdent sur cette partie de Greenwich St., mais le VCafé possède un atout supplémentaire : il vous fera voyager ! On y sert une authentique et savoureuse cuisine vietnamienne orchestrée par un grand chef originaire du pays (le bœuf au sésame est un moment inoubliable !). Ajoutez à cela l'immense cuisine ouverte (pour une ambiance sélecte mais familiale), de superbes photos du Vietnam et une grande boutique-galerie attenante au restaurant.

Bubby's

120 Hudson St., angle North Moore St. (G8/H8)
M° Franklin St.
☎ (212) 219 06 66
www.bubbys.com
Lun. 8h-minuit, mar.-dim. 24h/24 (mar. dès 7h)
Plat principal : env. $20.

Bien qu'un peu cher pour le déjeuner, Bubby's est un incontournable rendez-vous du quartier. L'endroit est spacieux et bruyant mais très chaleureux. Vous y dégusterez sandwichs, salades, burgers et plats traditionnels comme les *macaroni & cheese*. Brunch du week-end prisé et copieux.

TriBeCa Grill

375 Greenwich St., angle Franklin St. (G8)
☎ (212) 941 39 00
www.tribecagrill.com
Lun.-jeu. 11h30-23h, ven. 11h30-23h30, sam. 17h30-23h30, dim. 11h-15h et 17h30-22h.

Ouvert par Drew Nieporent, déjà propriétaire de nombreux restaurants du quartier en association avec Robert De Niro, ce restaurant figure parmi les emblèmes de TriBeCa. On y mange de la nouvelle cuisine américaine de qualité. La clientèle est plutôt chic, et il n'est pas rare de croiser une célébrité au bar... Comptez environ $28 pour un plat principal au dîner et $18 au déjeuner.

Chinatown / Little Italy

Visite 3 – p. 14

Peking Duck House

28 Mott St., entre Mosco St. et Pell St. (I8)
M° Canal St.
☎ (212) 227 18 10
www.pekingduckhousenyc.com
Dim.-jeu. 11h30-22h30, ven.-sam. 11h30-23h.

Ce restaurant a obtenu sept étoiles dans le magazine *Daily News*, et il les mérite ! Certains le considèrent comme le meilleur restaurant chinois de la ville... Un conseil : commandez la spécialité, le *Peking Duck* ($45), un canard laqué entier, tranché finement et accompagné de délicieuses galettes de blé, qui régalera deux ou trois personnes. Les entrées (environ $12) sont excellentes aussi. À la fin du repas, on vous apportera un *Fortune Cookie*.

Nha Trang

87 Baxter St., entre Canal St. et Bayard St. (H8)
M° Canal St.

☎ (212) 233 59 48
T. l. j. 10h30-21h30
Plat principal : env. $7.

Les restaurants s'alignent dans Chinatown et il peut parfois être difficile de s'y retrouver ! Ce restaurant vietnamien est une valeur sûre. Le service y est très rapide et la cuisine irréprochable. Parmi les spécialités, les *bo bun* (vermicelle, soja, salade et viande de votre choix). Le thé est servi gratuitement tout au long du repas !

Ten Ren Tea Time

79 Mott St., entre Canal St. et Bayard St. (H8)
M° Canal St.
☎ **(212) 732 71 78**
www.tenren.com
T. l. j. 11h-21h/22h.

Un petit bar à thés tout en longueur où vous pourrez déguster (sur place ou à emporter) les produits de la célèbre marque chinoise Ten Ren. Dans un cadre plutôt moderne et sur fond de pop chinoise, vous vous laisserez emporter par les saveurs de thé vert au jasmin, de thé blanc, de Oolong ou par une spécialité rafraîchissante : le *tapioca iced tea.*

Voir aussi ***Ferrara*** *(p. 15).*

Lower East Side
Visite 4 – p. 16

Azul

152 Stanton St., angle Suffolk St. (I7)
M° Delancey St.
☎ **(646) 602 20 04**
www.azulnyc.com
Lun.-ven. 18h-23h, sam. 18h-minuit, dim. 12h-minuit
Plat principal : env. $25.

Un petit bistrot argentin aux couleurs locales et à l'ambiance festive (en toute fin de soirée, il arrive que l'on pousse les tables pour qui veut danser). Les amateurs de viande seront plus que comblés, elle est divine ! Pour les autres, la truite au sel est un régal. Également une belle carte des vins. Testez les argentins, ils sont succulents.

Schiller's Liquor Bar

131 Rivington St., angle Norfolk St. (I7)
M° Delancey St.
☎ **(212) 260 45 55**
www.schillersny.com
Lun.-jeu. 11h-1h, ven.-sam. 11h-3h, dim. 11h-minuit
Plat principal : env. $18.

Impossible de le manquer ! Avec son immense façade de portes-fenêtres vitrées, ses murs de carrelage blanc et son sol en damier, le Schiller's attire l'œil, et c'est tant mieux. Vous y dégusterez une excellente cuisine de bistrot (steak-frites, calamars, moules au curry, hamburger ou encore un délicieux sandwich cubain !) dans une ambiance chaleureuse où l'on aime prendre son temps (ce qui n'est pas toujours évident à New York).

'Inoteca

98 Rivington St., angle Ludlow St. (I7)
M° Lower East Side-2nd Ave. ou Delancey St.
☎ **(212) 614 04 73**
www.inotecanyc.com
Dim.-mer. 12h-1h, jeu.-sam. 12h-3h
Brunch : sam.-dim. 12h-16h
Plat principal : env. $12.

Ce spacieux bar à vins offre une carte italienne simple mais de qualité, sur laquelle figurent de délicieux paninis, des plats traditionnels, de belles assiettes de charcuterie et de fromages, ou de généreuses salades.

Katz's Deli

205 E Houston St., angle Ludlow St. (I7)
☎ **(212) 254 22 46**
www.katzdeli.com
Lun.-mer. 8h-23h, jeu. 8h-3h, ven.-sam. 24/24h, dim. 8h-23h.

Katz's est l'un des *delicatessens* les plus réputés de New York, aussi bien pour son décor assez kitsch de vieille cantine-cafétéria que pour ses hot dogs ($3,35). Goûtez le célèbre sandwich au *pastrami* ($15,75) et, si vous êtes courageux, tentez un *egg cream,* mélange de soda-lait et de chocolat ou vanille en poudre devenu mondialement célèbre grâce à Meg Ryan dans le film *Quand Harry rencontre Sally*.

Clinton Street Baking Company

4 Clinton St., entre E. Houston St. et Stanton St. (I7)
M° Delancey St.
☎ **(646) 602 62 63**
www.clintonstreetbaking.com
Lun.-sam. 8h-16h et 18h-23h, dim. 9h-16h.

Cette boulangerie-restaurant est réputée pour faire les meilleurs pancakes de New York ! Le petit déjeuner est un vrai régal : *French toast* (« pain perdu »), muffins, omelettes ($12), biscuits au beurre, cakes en tous genres préparés avec des produits bio. Le brunch est un must, mais il y a foule.

Voir aussi ***Economy Candy*** *(p. 17).*

East Village
Visite 5 – p. 18

Il Bagatto

192 E 2nd St., entre Ave. A et B (I7)
M° Lower East Side-2nd Ave.
☎ **(212) 228 09 77**
www.ilbagattonyc.com
Mar.-jeu. 17h30-23h45, ven.-sam. 17h30-0h45, dim. 17h-22h45
Plat principal : env. $27.

Les New-Yorkais raffolent de cette adresse, et il faut parfois

1 - Azul
2 - Zaitzeff Burger
3 - Two Boots East Village

faire preuve de patience pour obtenir une table au sein de cette trattoria. La carte n'est pas très fournie, mais les plats du jour (entrées, pâtes, plats et desserts) sont en revanche nombreux, ce qui garantit fraîcheur et créativité. Tentez la *saltimbocca « Il Bagatto »* (escalope de veau, jambon cru, vin blanc ; $23,50). Sachez toutefois que l'atmosphère est souvent très bruyante.

Café Mogador

101 St Mark's Place, entre 1st Ave. et Ave. A (I6)
M° Astor Place ou 1st Ave.
☎ (212) 677 22 26
www.cafemogador.com
Dim.-jeu. 9h-1h, ven.-sam. 9h-2h
Plat principal : env. $15.

Dans une ambiance festive, vous vous régalerez d'une cuisine marocaine pour un rapport qualité-prix qui défie toute concurrence ! Couscous, tagines (l'agneau aux abricots et aux pruneaux est un délice), viandes grillées ou assiettes composées, le plus difficile sera de faire votre choix. Sans oublier pour commencer l'excellent *babaganoush* (caviar d'aubergines)... Sachez que pour déjeuner, le Café Mogador propose de succulents sandwichs kebab (env. $8) ! *Lunch menu* (salade ou soupe + plat) à $10.

Two Boots East Village

42 Ave. A, angle 3rd St. (I7)
M° Lower East Side-2nd Ave.
☎ (212) 254 19 19
www.twoboots.com
Dim.-jeu. 11h30-minuit, ven.-sam. 11h30-2h
Part de pizza : env. $4.

Pour manger de délicieuses parts *(slice)* de pizza, rendez-vous chez Two Boots, qui associe saveurs culinaires de la Louisiane (et plus particulièrement de La Nouvelle-Orléans) et tradition italienne. Résultat : une pâte fine et croustillante recouverte d'aliments exquis !

Zaitzeff Burger

18 Ave. B, angle 2nd St. (I7)
M° Lower East Side-2nd Ave.
☎ (212) 477 71 37
www.zaitzeffnyc.com
T. l. j. 12h-minuit
Plat principal : env. $12.

Vous croiserez nombre d'endroits où déguster un hamburger, mais ceux-ci possèdent une particularité : ils sont réalisés avec des muffins portugais (pain brun) plutôt qu'avec des classiques *buns* américains. Cela leur offre une consistance encore plus généreuse.

Klong

7 St Mark's Place, entre 2nd et 3rd Ave. (H6)
M° Astor Place
☎ (212) 505 99 55
Dim.-jeu. 11h30-minuit, ven.-sam. 11h30-2h
Menu déjeuner : de 7 à $9.

Ce restaurant thaïlandais discret de l'extérieur vous promet un beau voyage pour une somme dérisoire ! La formule déjeuner comprend une entrée (poulet *satay,* nems, raviolis à la vapeur-*dumpling,* salade ou soupe), et un plat.

1 - *Tartinery NoLIta*
2 - *Mary's Fish Camp*
3 - *The Spotted Pig*

Momofuku Milk Bar

251 E 13th St.,
angle 2nd Ave. (I6)
M° 3rd Ave. ou Union Square
www.momofuku.com
T. l. j. 9h-minuit.

La pause sucrée du chef David Chang pour faire des expériences gustatives. Vous pouvez tenter le *compost cookie* composé de chips, bretzels, café, avoine, caramels et pépites de chocolat ($1,85) ou opter pour une part de *banana cake* accompagné d'un milk-shake à la fraise ($6).

SoHo / NoLIta

Visite 6 – p. 20

Balthazar

80 Spring St., angle Crosby St. (H7)
M° Spring St.
☎ (212) 965 14 14
www.balthazarny.com
Lun.-jeu. 7h30-minuit,
ven. 7h30-1h, sam. 8h-1h,
dim. 8h-minuit
Plat principal : env. $30.

Depuis son ouverture, c'est la brasserie la plus prestigieuse de New York ! Dans un beau décor typiquement parisien et une ambiance plutôt bruyante, vous dégusterez des plats sans surprise mais de qualité. Un must, le plateau de fruits de mer à partager à deux ($80 le petit, $125 le grand). Balthazar étant constamment bondé, essayez le *breakfast*, moins frénétique !

Ed's Lobster Bar

222 Lafayette St., entre Spring St. et Broome St. (H7)
M° Spring St.
☎ (212) 343 32 36
www.lobsterbarnyc.com
Lun.-ven. 12h-15h et 17h-23h,
sam. 12h-minuit, dim. 12h-21h
Plat principal : env. $20-25.

Quelle riche idée que d'avoir conçu un bar à homard ! Ce petit restaurant tout en longueur, avec peu de tables mais un bar immense, propose fruits de mer, poissons divers et la star du lieu, le homard. Vous pourrez le déguster de différentes façons : froid ou chaud bien sûr, mais aussi en ravioli, en burger, en sandwich ou au sein d'une bisque particulièrement goûteuse. Une adresse qui saura ravir les accros de ce crustacé !

Lombardi's

32 Spring St., angle Mott St. (H7)
M° Spring St.
☎ (212) 941 79 94
www.firstpizza.com
Dim.-jeu. 11h30-23h,
ven.-sam. 11h30-minuit
Pizza 6 parts : env. $16,
pizza 8 parts : env. $20
Règlement en espèces uniquement.

Présenté comme la première pizzeria de New York City (établie en 1905), Lombardi's a su conserver sa popularité malgré son côté « usine » bien loin de l'âme de la traditionnelle pizzeria italienne. Cela étant, les pizzas sont délicieuses, gigantesques (la plus petite se partage à deux) et arrivent prédécoupées dans un plat. C'est donc à l'américaine que vous dégusterez votre pizza italienne ! Dernier détail : c'est vous qui choisissez les ingrédients à poser dessus.

Tartinery NoLIta

209 Mulberry St., entre Spring St. et Kenmare St. (H7)
M° Spring St.
☎ (212) 300 58 38

www.tartinery.com
T. l. j. 12h-minuit.

Maxime, Stephan et Nicolas ont bousculé en 2010 le quartier de NoLIta en ouvrant leur restaurant. Mais que viennent faire ces trois *Frenchies* par ici ? Des tartines pardi ! Et avec du pain Poilâne. De la tartine jambon-purée ($11,50) à la tartine foie gras ($19) en passant par la ratatouille ($12).

Lucky Strike

59 Grand St., entre W Broadway et Wooster St. (H7)
M° Canal St.
☎ (212) 941 07 72
www.luckystrikeny.com
Dim.-mer. 12h-1h,
jeu. 12h-2h,
ven.-sam. 12h-2h30
Plat principal : env. $15.

Ce restaurant est connu des New-Yorkais. On y sert une cuisine de bistrot de traditions française et américaine. Pizza, salade niçoise, steak-frites, sandwich au thon grillé… La carte est simple et les plats savoureux. Pour le brunch du week-end, des *eggs benedict* s'ajoutent à la carte.

Café Habana

17 Prince St., angle Elizabeth St. (H7)
M° Prince St.
☎ (212) 625 20 01
www.cafehabana.com
T. l. j. 9h-minuit
Plat principal : env. $10.

Ce café cubain est sans doute le plus réputé de la ville. Des plats traditionnels, bon marché et divins ! Parmi les classiques : les *huevos rancheros* ou l'émincé de porc rôti servi avec riz et haricots rouges. L'endroit n'est pas très spacieux et il faut être patient pour obtenir une table…

Rice

292 Elizabeth St., entre E Houston St. et Bleecker St. (H7)
M° Broadway-Lafayette St.
☎ (212) 226 57 75
www.riceny.com
T. l. j. 12h-minuit
Plat principal : env. $16.

La star ici, c'est le riz. Il ne s'agit pas pour autant d'un comptoir asiatique, mais d'un restaurant proposant des recettes venues du monde entier. Vous choisissez votre style de riz (basmati, rouge, japonais) et vous l'accommodez du plat de votre choix (brochettes de poulet *satay*, ratatouille, curry thaï…). Un pur délice !

Once Upon A Tart

135 Sullivan St., entre Houston St. et Prince St. (H7)
M° Spring St. ou Prince St.
☎ (212) 387 88 69
www.onceuponatart.com
Lun.-ven. 8h-19h,
sam. 9h-19h, dim. 9h-18h
Sandwich : env. $8.

Le temps semble s'être arrêté dans ce petit café-boulangerie de SoHo ! Quelques tables vous invitent à faire une pause déjeuner ou goûter. Au menu, de délicieux sandwichs, des tartes salées, des salades et des soupes. Tout est fait maison, y compris les gâteaux (*scones*, muffins), à tester d'urgence !

Voir aussi **Rice to Riches** *(p. 21).*

Greenwich Village / West Village

Visite 7 – p. 22

The Spotted Pig

314 W 11th St., angle Greenwich St. (G6)
M° 14th St., 8th Ave. ou Christopher St.
☎ (212) 620 03 93
www.thespottedpig.com
Lun.-ven. 12h-2h,
sam.-dim. 11h-2h
Plat principal : env. $20.

Installée sur deux étages dans un paisible coin du West Village, cette adresse est fort appréciée par les habitants du quartier. Des plats simples et originaux, aux influences anglaises, pour un rapport qualité-prix imbattable ! C'est sans doute le seul endroit où vous pourrez déguster un hamburger au roquefort ($17) ! Seul inconvénient, succès oblige, l'attente pour avoir une table peut parfois être longue…

Mary's Fish Camp

64 Charles St., angle W 4th St. (G6)
M° Christopher St.
☎ (646) 486 21 85
www.marysfishcamp.com
Lun.-sam. 12h-15h et 18h-23h
Plat principal : env. $20.

Un petit restaurant de quartier au charme irrésistible (long bar arrondi et cuisine ouverte), dans lequel vous ne trouverez que du poisson. Huîtres ou beignets d'écrevisses en entrée, suivis d'une daurade grillée à la grecque accompagnée d'une salade de pamplemousse rose, fèves et menthe… Tout est raffiné et fort goûteux. Et en dessert, ne manquez pas le *hot fudge sundae* ($12), une glace à la vanille recouverte d'un fudge fait maison et de chantilly. Un pur délice…

BLT Burger

470 Ave. of the Americas, entre 11th et 12th St. (G6/H6)
M° 14th St.
☎ (212) 243 82 26
www.bltrestaurants.com
T. l. j. 11h30-23h
Plat principal : env. $11.

Une adresse de référence pour manger un véritable hamburger. D'ailleurs, c'est simple, il n'y a que ça. Et comme le chef n'oublie personne, vous trouverez aussi à la carte un hamburger « merguez d'agneau », un « végétarien » ou encore un « saumon-avocat-sauce tartare » ! Pour les frites, c'est pareil, vous pourrez choisir entre les classiques ou les *sweet potatoes* (patates douces). Surtout, ne repartez pas sans avoir goûté aux succulents milk-shakes !

Peanut Butter & Co

240 Sullivan St., entre Bleecker St. et W 3rd St. (H7)
M° W 4th St.
☎ (212) 677 39 95
www.ilovepeanutbutter.com
Dim.-jeu. 11h-21h,
ven.-sam. 11h-22h
Sandwich : de 5 à $8.

C'est le temple du *peanut butter*, l'une des gourmandises favorites des Américains ! Les plus curieux pourront goûter au sandwich beurre de cacahuète-bacon-salade-tomate, et les gourmands opteront pour le beurre de cacahuète-pâte chocolat-noisette ou le beurre de cacahuète-banane-miel.

24h/24

Pour celles et ceux qui auraient une petite faim au milieu de la nuit, voici quelques bonnes adresses ouvertes non-stop :

- French Roast (West Village)
  78 W 11th St., angle 6th Ave. (G6)
  M° W 4th St. ou 6th Ave.
  ☎ (212) 533 22 33
  Comptez entre 18 et $25
- Seven A (East Village)
  109 Ave. A, angle 7th St. (I6)
  M° Astor Place, 1st Ave. ou 2nd Ave.
  ☎ (212) 429 90 01
  www.7acafe.com
  Comptez env. $11
- L'Express (Union Square)
  249 Park Ave. South, angle 20th St. (B4)
  M° 23rd St. (ligne 6)
  ☎ (212) 254 58 58
  www.lexpressnyc.com
  Comptez entre 15 et $20.

Café Angélique

49 Grove St., angle Bleecker St. (G6)
M° Christopher St.-Sheridan Square
☎ (212) 414 14 00
www.cafeangeliquenyc.com
T. l. j. 6h-23h.

Un petit café plein de charme, typique de l'ambiance du Village. Halte idéale pour une pause gourmande (les scones aux fruits rouges ou le *marble loaf cake*, $3, sont délicieux !) autour d'un thé ou d'un *espresso*. Vous pouvez également y manger des salades, soupes ou sandwichs à toute heure de la journée.

Voir aussi ***Caffé Reggio*** *(p. 23).*

Meatpacking District
Visite 8 – p. 24

Paradou

8 Little W 12th St., entre Washington St. et Greenwich St. (A4)
M° 14th St. ou 8th Ave.
☎ (212) 463 83 45
www.paradounyc.com
Lun.-ven. 18h-minuit,
sam. 11h-minuit,
dim. 11h-19h ; f. lun. en hiver
Plat principal : env. $25.

Au cœur du très branché Meatpacking District, ce petit restaurant français possède un avantage énorme : un vaste jardin protégé de la rue, une perle rare une fois les beaux jours venus ! Outre quelques plats qui rappellent la Provence, la carte propose des mets typiques comme l'entrecôte et son gratin, le cassoulet Paradou et le steak tartare. Également un vaste choix de salades, de plats du jour et de délicieuses crêpes en dessert (env. $6).

Corner Bistro

331 W 4th St., angle Jane St. (G6)
M° 14th St. ou 8th Ave.
☎ (212) 242 95 02
www.cornerbistrony.com
Lun.-sam. 11h30-4h, dim. 12h-4h
Hamburger : de 6,75 à $8.

Il s'agit d'une des adresses légendaires de la ville du fait de ses hamburgers, considérés par beaucoup comme parmi les meilleurs de New York ! L'endroit est minuscule, et vous serez servi dans des assiettes en carton. Mais si vous voulez vivre une expérience new-yorkaise authentique, c'est un incontournable.

Pastis

9 9th Ave., angle Little W 12th St. (G6)
M° 8th Ave.-14th St.
☎ (212) 929 48 44
www.pastisny.com
Lun.-mar. 8h-minuit, mer. 8h-1h, jeu. 8h-2h, ven. 8h-3h,
sam. 9h-3h, dim. 9h-1h.

Ce café-restaurant à la devanture de bistrot français (bien que tenu par des Américains) a été le premier à moderniser ce secteur avec son aspect branché. L'espace est très agréable et doté d'une belle terrasse en été. On y mange une cuisine d'inspiration française : croque-monsieur, steak tartare, pissaladière niçoise, etc. La cuisine y est bonne mais un peu chère. Comptez environ $26 le plat principal au dîner et $22 au déjeuner (env. $15 le sandwich).

Voir aussi ***Cafe Gitane*** *(p. 25).*

Chelsea
Visite 9 – p. 26

Tia Pol

205 10th Ave., entre 22nd et 23rd St. (A4)
M° 23rd St.
☎ (212) 675 88 05
www.tiapol.com
Lun. 17h30-23h, mar.-jeu.

12h-15h et 17h30-23h,
ven. 12h-15h et 17h30-minuit,
sam. 11h-15h et 17h30-minuit,
dim. 11h-15h et 18h-22h30
Tapas : de 4 à $16.

Voici un authentique restaurant de tapas avec une carte très complète, à laquelle il faut ajouter une sélection de tapas du jour. Le *chorizo al jerez*, les *pinchos morunos* (brochettes d'agneau), les assiettes de jambon et de fromage ou les gambas à l'ail font partie des incontournables. Également quelques fromages et desserts aux saveurs ibériques. La carte des vins est très bien fournie, mais attention, le vin au verre avoisine les $10 et l'addition monte très vite !

Don Giovanni

214 10th Ave. (A4)
M° 23rd St.
☎ (212) 242 90 54
www.dongiovanni-ny.com
Dim.-jeu. 11h30-minuit,
ven.-sam. 11h30-2h
Pizzas : de 8,95 à $12,50
Pâtes : de 9,95 à $13,95.

Ce restaurant italien est bien agréable : les plats, servis en portions gargantuesques, sont délicieux. Des pizzas onctueuses et une pâte cuite *al dente*. Un très bon rapport qualité-prix !

1 - Blue Smoke
2 - Blue Water Grill
3 - Paradou

*Voir aussi **Billy's Bakery** (p. 27), et au Chelsea Market, pensez au **Fat Witch Bakery**, au **Eleni's**, au **Amy's Bread** et au **Ronnybrook Farm Dairy** (p. 26).*

Madison Square / Union Square

Visite 10 – p. 28

Markt

676 6th Ave., angle 21st St. (B4)
M° 23rd St.
☎ (212) 727 33 14
www.marktrestaurant.com
Lun.-ven. 8h-minuit,
sam.-dim. 10h-minuit
Plat principal : env. $21.

La réputation de cette brasserie belge n'est plus à faire. On s'y retrouve aussi bien pour ses moules (nature, à la bière, au vin blanc, à la coriandre, provençales ou à la crème) que pour son homard grillé à la bière, son tartare de bœuf ou son brunch (succulentes omelettes). Une atmosphère très agréable, un espace généreux et un très bon rapport qualité-prix. Que demander de plus ?

Blue Water Grill

31 Union Square West, angle 16th St. (B4)
M° 14th St.-Union Square
☎ (212) 675 95 00
Lun. 11h30-22h, mar.-jeu. 11h30-23h, ven.-sam. 11h30-minuit,
dim. 10h30-22h
Plat principal : env. $26.

Un restaurant de poisson très *smart* qui figure parmi les plus fréquentés de Manhattan. La carte est remarquable et présente un grand choix de poissons grillés pour les puristes (env. $28) ! Au sous-sol, le Jazz Room, où le dîner est servi tous les soirs à 18h devant un groupe de musiciens de jazz (réservation recommandée). Autre rendez-vous très prisé de ce lieu : le Sunday Jazz Brunch (tous les dim. 11h30-15h).

Blue Smoke

116 E 27th St., entre Park Ave. et Lexington Ave. (B4)
M° 28th St.
☎ (212) 447 77 33
www.bluesmoke.com
Dim.-lun. 11h30-22h,
mar.-jeu. 11h30-23h,
ven.-sam. 11h30-1h
Plat principal : env. $24.

Une bonne adresse pour les amateurs de viande ! Plutôt sélect, ce restaurant de barbecue

1 - Cucina & Co
2 - Shake Shack Burger
3 - Carnegie Deli

s'inspire des différentes façons de fumer la viande dans tout le pays. Les portions n'étant pas énormes, peut-être vous laisserez-vous tenter par l'assiette de dégustation de desserts, des spécialités américaines. Au sous-sol, le Jazz Standard compte parmi les meilleurs clubs de jazz.

Shake Shack Burger

Madison Square Park, angle 23rd St. (B4)
M° 23rd St.
☎ (212) 889 66 00
www.shakeshack.com
T. l. j. 11h-23h
Hamburger : env. $6.

Beaucoup pensent qu'il s'agit du meilleur hamburger de la ville, et, à en croire la file d'attente, c'est sûrement vrai ! Cette petite cabane située à l'intérieur du parc propose hamburgers, hot dogs, frites, glaces et milk-shakes. Si vous n'êtes pas pressé, allez-y, l'expérience est fort agréable !

Eataly

200 5th Ave., angle 23rd St. (B4)
M° 23rd St.
☎ (212) 229 25 60
www.eatalyny.com
T. l. j. 10h-23h.

La nouvelle destination gourmande des New-Yorkais ! Ce petit coin d'Italie dans le Flatiron District compte sept restaurants, un *beer garden*, une pâtisserie, une école de cuisine ainsi qu'un marché gourmand... Vous devriez trouver votre bonheur !

The City Bakery

3 W 18th St. (B4)
M° 14th St.-Union Square ou 18th St.
☎ (212) 366 14 14
www.thecitybakery.com
Lun.-ven. 7h30-19h, sam. 8h-19h, dim. 10h-18h
Assiette composée : env. $14 les 500 g.

Un espace immense avec en son centre le coin pâtisseries qui propose de belles surprises, comme les cookies au *peanut butter* ou les *pretzels croissant*, et dans le fond un buffet de plats et de salades que vous paierez au poids. Tout est frais, original et délicieux. Il est interdit de repartir sans avoir goûté à la spécialité de la maison : le chocolat chaud dans lequel on laisse fondre un marshmallow.

Pensez aussi au ***Greenmarket*** *d'Union Square* *(p. 29).*

Empire State Building / Times Square
Visite 11 – p. 30

Virgil's Real BBQ

152 W 44th St., entre Ave. of the Americas et Broadway (B3)
M° 42nd St.-Bryant Park
☎ (212) 921 94 94
www.virgilsbbq.com
Mar.-ven. 11h30-minuit, sam. 11h-minuit, dim. 11h-23h
Plat principal : env. $23.

Voici une autre adresse mettant le barbecue à l'honneur, cette fois en plein cœur de Times Square ! Beaucoup plus populaire et bruyant que le Blue Smoke, ce restaurant propose une cuisine moins raffinée mais tout aussi goûteuse avec une carte plus fournie. Parmi les spécialités, le *Smoked Maryland Ham* (jambon grillé et glacé au miel) ou les *Po' Boys* (sandwichs garnis de grillades).

Cucina & Co

Macy's
151 W 34th St., entre 7th Ave.

et Broadway (B3)
M° 34th St.
☎ (212) 868 23 88
Lun.-sam. 10h-21h30,
dim. 11h-20h30
Plat principal : env. $15,
assiette composée : env. $9.

Pas facile de trouver une nourriture saine et pas chère dans ce quartier touristique. Alors descendez au sous-sol de Macy's et régalez-vous de la formule traiteur de Cucina & Co. Des buffets de hors-d'œuvre, des salades à composer vous-même, des sandwichs, des pizzas, des plats de pâtes…

Empanada Mama

763 9th Ave., entre
51st et 52nd St. (A2)
M° 50th St.
☎ (212) 698 90 08
T. l. j. 24h/24
Empanada : env. $3,
salade : env. $10.

Ce tout petit restaurant consacre la majeure partie de sa carte aux *empanadas*, ces petits friands si populaires en Amérique latine ! Parmi les incontournables : le *brasil* (bœuf, olives, oignons et pommes de terre), le *shredded chicken* colombien (poulet, pois et carottes) et le *viagra* (crevettes, noix de Saint-Jacques et crabe).

Voir aussi ***Junior's*** *et* ***Krispy Kreme*** *(p. 89).*

Nations Unies
Visite 12 – p. 32

Voir ***Ess-A-Bagel*** *(p. 33).*

Rockefeller Center
Visite 13 – p. 34

« 21 » Club

21 W 52nd St., entre 5th Ave.
et Ave. of the Americas (B2)
M° Rockefeller Center
☎ (212) 582 72 00
www.21club.com
• Bar Room : lun. 17h30-22h,
mar. 12h-14h30 et 17h-22h,
mer.-jeu. 12h-14h30
et 17h30-22h, ven. 12h-14h30
et 17h-23h, sam. 17h-23h
Plat principal : env. $43, menu :
$35 (déjeuner) et $40 (dîner)
• Upstairs at « 21 » :
mar.-sam. 17h30-22h
Menu 3 plats : $75.

Réputé pour être un ancien *speakeasy* (bar clandestin à l'époque de la Prohibition), le « 21 » Club regroupe deux restaurants chic : le Bar Room d'un côté et le très prestigieux Upstairs at « 21 » de l'autre. Au Bar Room, le chef John Greeley propose une cuisine américaine créative, raffinée et chère (comptez $30 pour un hamburger), mais qui en vaut la peine si votre bourse le permet. Les menus sont de bons compromis, mais sachez qu'il vous faudra être assis avant 18h30 pour bénéficier de celui du Bar Room, et qu'une tenue correcte est exigée pour les deux restaurants.

Carnegie Deli

854 7th Ave., angle 55th St. (A2/B2)
M° 7th Ave. ou 57th Ave.
☎ (212) 757 22 45
www.carnegiedeli.com
T. l. j. 6h30-4h
Sandwich : env. $16.

Popularisé par le film de Woody Allen *Broadway Danny Rose*, le Carnegie Deli, dont l'ouverture remonte à 1937, est le *delicatessen* le plus prisé de Manhattan. On y sert des sandwichs très hauts de gamme (le plus célèbre est celui intitulé « The Woody Allen »), mais aussi de nombreuses spécialités juives ashkénazes : *blintzes* (friands), *gefilte fish* (boulettes de poisson), *matzoh balls* (bouillon avec des boulettes faites à base de *matzot*), etc.

Voir aussi ***Mangia*** *(p. 35).*

Lincoln Center
Visite 14 – p. 36

Mandarin Oriental

80 Columbus Circle, angle 60th St.,
entrée sur 60th St., 35e étage (A2)
M° 59th St.-Columbus Circle
☎ (212) 805 88 00
ou ☎ (212) 805 88 81 (restaurant)
www.mandarinoriental.com/newyork
• Bar : dim.-jeu. 9h-1h,
ven.-sam. 9h-2h
• Restaurant : lun.-sam. 7h-22h,
dim. 7h-21h.

Situé au sein du Time Warner Center, cet hôtel de luxe offre une vue plongeante et exceptionnelle sur Central Park ! Pour en profiter, il suffit d'aller boire un verre au bar du lobby situé au 35e étage ou alors d'aller manger au restaurant Asiate. Le chef, Brandon Kida, propose une cuisine américaine haut de gamme aux douces saveurs de France et du Japon (menus à $34 le midi, $85 le soir).

Picholine

35 W 64th St., angle
Central Park West (A2)
M° 66th St.-Lincoln Center
☎ (212) 724 85 85
www.picholinenyc.com
Mar.-jeu. 17h-22h, ven.-sam. 17h-23h, dim. 17h-21h
Menu 3 plats : $92.

Le nom de ce restaurant évoque une petite olive d'Italie. La cuisine d'inspiration méditerranéenne (italienne, française et espagnole) est vraiment originale et savoureuse (le chef utilise des produits locaux et bio dans la mesure du possible). La carte des vins est extraordinaire, et le plateau de fromages du monde entier est considéré comme le meilleur de New York. Avec son bar à vins et fromages séparé du restaurant feutré (dans des tons violines et gris-lavande), Picholine est une étape obligée avant d'aller écouter un concert au Lincoln Center.

Bouchon Bakery

Time Warner Center
10 Columbus Circle (A2)
M° 59th St.-Columbus Circle
☎ (212) 823 93 66
www.bouchonbakery.com
Lun.-sam. 8h-22h, dim. 8h-21h
Sandwich : env. $10,
salade : env. $8.

Cette boulangerie réputée pour ses macarons a ouvert un espace café-restaurant au 3e étage du Time Warner Center. Une halte sympathique avec vue sur Central Park le temps de grignoter un sandwich baguette jambon-beurre ou une salade niçoise.

Voir aussi ***Magnolia Bakery*** *(p. 37) et pensez au* ***Whole Foods Market*** *et au* ***Porter House*** *(p. 36).*

Central Park West
Visite 15 – p. 38

Voir ***Alice's Tea Cup*** *(p. 39) et pensez au* ***Boat Basin Café*** *(p. 38).*

Autour de la Frick Collection
Visite 16 – p. 40

Pensez au ***Garden Court Café*** *(p. 41).*

Metropolitan Museum
Visite 17 – p. 42

Café Sabarsky

Neue Galerie New York
1048 5th Ave., angle 86th St. (B1)
M° 86th St. – ☎ (212) 288 06 65
www.cafesabarsky.com
Lun. et mer. 9h-18h,
jeu.-dim. 9h-21h
Plat principal : env. $18.

Le luxueux Café Sabarsky vous transporte dans un vieux café viennois. Les vieilles dames distinguées de l'Upper East Side s'y retrouvent pour luncher à l'autrichienne *(Schnitzel, Bratwurtz, Goulash Soup…)* ou se pâmer devant le buffet de pâtisseries.

E.A.T

1064 Madison Ave., angle 80th St. (B1)
M° 77th St.
☎ (212) 772 00 22
www.elizabar.com
T. l. j. 7h-22h
Sandwich ou plat principal sur place : de 14,50 à $24, sandwich à emporter : de 9 à $16.

Située aux abords de Central Park, cette adresse est une mine d'or pour s'acheter de quoi pique-niquer ! E.A.T propose une partie restauration (très chère) et une partie traiteur où vous trouverez des plats préparés, des salades, des sandwichs, des yaourts, des gâteaux (testez le *marble cake* ou le *lemon pound cake*).

Voir aussi ***Sarabeth's Kitchen*** *(p. 43).*

Harlem
Visite 18 – p. 44

Red Rooster

310 Lenox Ave.,
entre 125th et 126th St. (D2)
M° 135th St.
☎ (212) 792 90 01
www.redroosterharlem.com
• Déjeuner : lun.-ven. 11h30-15h
• Dîner : lun.-jeu. 17h30-22h, ven.-sam. 17h30-23h30, dim. 17h-22h
• Brunch : sam.-dim. 10h-16h
Plats de 15 à $37
Résa 2 sem. à l'avance.

Symbole du renouveau de Harlem, la table du chef Marcus Samuelsson a le vent en poupe ! Décoré d'œuvres d'artistes locaux, le vaste espace aux airs de loft abrite un restaurant, un café, une épicerie, un bar et une table commune. Une clientèle cosmopolite envahit les lieux pour boire un verre ou pour goûter aux saveurs de la *soul food*, cuisine venue du sud des États-Unis.

Voir aussi ***Miss Maude's Spoonbread Too*** *(p. 45).*

Queens
Visite 19 – p. 46

Tournesol

50-12 Vernon Blvd,
entre 50th et 51st Ave. (HP par C2)
M° Vernon Blvd-Jackson Ave.
☎ (718) 472 43 55
www.tournesolnyc.com
Lun. 17h30-23h, mar.-ven. 11h30-15h et 17h30-23h, sam. 11h-15h30 et 17h30-23h30, dim. 11h-15h30 et 17h-22h
Plat principal : env. $15.

Ce petit restaurant français situé à 10 minutes à pied du PS1 (voir p. 47) propose des plats de bistrot très réussis à un excellent rapport qualité-prix ! Des moules, des pâtes, des salades ou l'incontournable steak-frites, mais aussi des plats du jour comme le coq au vin. Une ambiance calme, familiale et sans prétention, à des lieues de la plupart des restaurants français de Manhattan !

Voir aussi ***Sage General Store*** *(p. 47).*

Brooklyn
Visite 20 – p. 48

The River Café

1 Water St. (C6)
M° York St. ou High St.
☎ (718) 522 52 00
www.rivercafe.com
Lun.-sam. 12h-15h et 17h30-23h, dim. 11h30-14h30 et 17h30-23h.

Voici sans doute l'un des endroits les plus prisés et les plus romantiques de la ville. Installé au pied du Brooklyn

1 - *Café Sabarsky*
2 - *The River Café*
3 - *E. A. T*

Bridge, ce restaurant flottant offre un très beau panorama sur l'East River et sur les gratte-ciel de Manhattan. La cuisine y est riche en goût, inventive et raffinée, mais tout cela a un prix... À midi, vous commanderez à la carte, mais le soir, vous aurez le choix entre un menu à $100 que vous composerez vous-même (entrée-plat-dessert) ou un menu surprise de six plats choisis par le chef ($125). Pensez à réserver !

Heights Café

84 Montague St.,
angle Hicks St. (C6)
M° Court St. ou Borough Hall
☎ (718) 625 55 55
www.heightscafeny.com
T. l. j. 12h-minuit
Brunch : sam. 11h, dim. 10h
Plat principal : $13.

À quelques pas de la célèbre promenade de Brooklyn Heights (voir p. 48), ce café est le rendez-vous des habitants du quartier. En été, une grande terrasse offre une plus-value au lieu. On y sert une classique cuisine américaine : *Caesar salad* ($8,95), hamburger, *crabcake* (boulettes de crabe, $11,95), *grilled steak sandwich* ($13,95).

Voir aussi ***Brooklyn Ice Cream Factory*** *et pensez au* ***chocolatier Jacques Torres*** *(p. 49).*

Williamsburg
Visite 21 – p. 50

Peter Luger Steak House

178 Broadway, entre Bedford St. et Driggs Ave. (E5)
M° Marcy Ave.
☎ (718) 387 74 00
www.peterluger.com
Lun.-jeu. 11h45-22h, ven.-sam. 11h45-23h, dim. 12h45-22h
Plat principal : env. $44.

Bien que fort onéreuse, il serait vraiment dommage de venir à New York sans tenter l'expérience du *steakhouse*. Et dans ce domaine, Peter Luger est la référence de la ville. Ici, on vient pour le steak (faux-filet, aloyau, entrecôte), incroyablement savoureux, et rien d'autre, si ce n'est les frites servies en accompagnement, tout aussi succulentes ! Autre spécialité de la maison, leur irrésistible *Steak House Old fashioned sauce* (sorte de ketchup hautement amélioré). Pour info, sachez qu'au déjeuner les plats sont moins chers (env. $20).

Juliette

135 N 5th St., niveau Bedford Ave. (D4)
M° Bedford Ave.
☎ (718) 388 92 22
www.juliettewilliamsburg.com
Lun.-jeu. 10h30-16h et 17h-23h, ven.-sam. 10h30-minuit, dim. 10h30-22h30.

Le délicieux décor de vieux bistrot parisien, la musique rétro et la cuisine honnête (sandwichs, plats type tajine, $25, ou *Juliette Burger*, $13) ont fait de ce café-bar-restaurant l'une des adresses les plus populaires du quartier. Le brunch est très couru et, aux beaux jours, on goûte à la dolce vita brooklynienne sur la terrasse du toit.

Voir aussi ***Surf Bar*** *(p. 51).*

Le plaisir du palais

Non, New York n'est pas synonyme de junk food, et ce serait une injure de réduire sa cuisine au simple hamburger ! Ici, la nourriture est multiple, créative et variée, à l'image de sa population. Que ce soit sur le pouce, dans la rue ou attablés au restaurant, les New-Yorkais aiment manger, et à toute heure ! À vous de choisir parmi cette palette de saveurs du monde...

Un voyage culinaire

Lorsque l'on sait que dix-sept millions d'immigrés ont débarqué à Ellis Island entre 1892 et 1954, et qu'aujourd'hui, d'après le recensement établi en 2006, 33 % de la population de New York est née à l'étranger, on comprend pourquoi les nombreux restaurants de la ville composent une telle mosaïque ethnique ! Cette opulence de restaurants issus du monde entier n'est donc pas une stratégie touristique, mais bel et bien le reflet des multiples composantes de la ville. Manger new-yorkais, c'est manger américain, italien, mexicain, japonais, cubain, yiddish... voire français ! D'ailleurs, de nombreux grands chefs ont ouvert leur établissement à Manhattan, comme Jean-Georges Vongerichten ou Daniel Boulud.

Street food

Et cette richesse culinaire s'observe jusque dans la rue, si l'on en juge par la diversité des plats que proposent les vendeurs installés derrière leurs chariots en Inox à même le trottoir (on en compterait pas moins de 7 000 !). Avant tout célèbres pour leurs hot dogs (que l'on aime manger « à l'allemande », accompagnés de choucroute), ces fast-foods de rue vous proposeront aussi des kebabs, des *arepas* colombiennes (friands), des *dosas* indiennes (crêpes de farine de riz et de lentilles), des *tamales* mexicaines (maïs cuit dans une feuille de bananier), des *pretzels,* des brochettes ou encore de succulentes pralines pour rassasier les bouches sucrées.

Bio et produits locaux

À force de côtoyer toutes ces saveurs, les New-Yorkais ont un palais délicat et apprécient les produits qui ont du goût.

Eh oui, c'est au pays de la junk food qu'ont été inventés les bars à soupes ! Les produits bio *(organic)* font depuis longtemps partie des étalages aux côtés des autres. La chaîne de supermarchés Whole Foods Market, consacrée aux produits bio et naturels, connaît un véritable essor à Manhattan depuis quelques années (4 Union Square South – H6 – ou Time Warner Center, voir p. 36). Quant au marché de Union Square (voir p. 29), il est l'épicentre du courant appelé *local food movement,* regroupant celles et ceux qui privilégient les produits locaux. Ainsi, vous pourrez déguster du miel fabriqué sur les toits des gratte-ciel de Manhattan, des légumes cultivés au Farm Museum du Queens (www.queensfarm.org) et tout un tas d'autres produits provenant de l'État de New York ou des États voisins (New Jersey, Pennsylvanie, Connecticut…).

Les incontournables

Au-delà de ce tour du monde des saveurs et de tous ces produits de marché, il existe quelques spécialités propres à New York, voire pour certaines à l'Amérique, qu'il ne faut pas omettre de goûter. Côté sucré : l'incontournable *cheesecake* de chez Junior's (W 45th St., entre Broadway et 8th Ave. – A3), les *apple pies* et les muffins du Greenmarket de Union Square (voir p. 29), les brownies de Fat Witch (Fat Witch Bakery – Chelsea Market, voir p. 26) et les *doughnuts* (beignets) de Krispy Kreme (2 Penn Plaza, au niveau de 33rd St. et 8th Ave. – A3). Côté salé : le *pastrami* de chez Katz's (voir p. 78),

les *pretzels* (à déguster nature ou avec un peu de moutarde), les *bagels* (Ess-A-Bagel – voir p. 33), le *cream cheese,* la *slice* (part de pizza) de chez Two Boots East Village (voir p. 79) et bien sûr les incontournables et légendaires hamburgers et *chicken wings,* ailes de poulet marinées plus ou moins épicées, accompagnées de bâtonnets de carotte et de céleri et d'une sauce au bleu. Un régal !

To stay or to go ?

Voilà une question que vous entendrez souvent, car les New-Yorkais mangent aussi bien en marchant dans la rue que dans le wagon du métro, sur le banc d'un parc ou au bureau. La cuisine à emporter est devenue un art de vivre, un fait culturel, et quasiment tous les restaurants proposent leurs plats « to go ». Cette pratique est à la base du *salad bar,* ces copieux buffets où vous composez vous-même votre assiette, que vous payez ensuite au poids. Proposé par de nombreux *deli* de la ville (le buffet siège au milieu de l'épicerie), ce concept a été repris par certains établissements spécialisés offrant une cuisine plus élaborée et très goûteuse, comme Mangia ou The City Bakery (voir p. 35 et 84). Une riche idée pour pique-niquer sans cuisiner !

Shopping mode d'emploi

Horaires d'ouverture

New York est une ville qui ne dort jamais. Presque tous les magasins sont ouverts entre 11h et 19h (jusqu'à 21h une ou deux fois par semaine, souvent le jeudi). Certaines boutiques, notamment à Wall Street, ouvrent dès 7h30, mais sont fermées le week-end. Beaucoup de succursales de chaînes de magasins tels Barneys ou The Wiz restent ouvertes tard le soir. On peut aussi passer le dimanche à faire du shopping, la plupart des magasins sont ouverts.

Payer ses achats

Les prix sont toujours affichés, mais ne soyez pas surpris au moment de payer : les prix indiqués sur les étiquettes sont des prix hors taxe. Celle-ci s'élève à 8,85 %, sauf pour les vêtements et les chaussures de moins de $110, qui sont détaxés.
Le marchandage se pratique parfois dans les petites boutiques d'électronique, de hi-fi et de photo, mais reste peu fréquent. En revanche, en proposant de payer cash, vous pourrez peut-être économiser le montant de la taxe !
La plupart des commerçants acceptent les cartes internationales de paiement, mais certains vous demanderont une pièce d'identité. Au moment de payer, répondez toujours « *Credit* » à la question « *Debit or credit ?* ».
Certains magasins acceptent les *traveller's cheques*, mais pas tous. Pour pouvoir les utiliser, vous aurez besoin d'une pièce d'identité. Attention, si vous souhaitez les échanger en dollars, toutes les banques ne les acceptent pas !

SE REPÉRER

Nous avons indiqué pour chaque adresse Shopping sa localisation sur le plan général (B2, G8…). Pour un repérage plus facile en préparant votre week-end ou lors de vos balades, nous avons signalé sur le plan par un symbole rouge toutes les adresses de ce chapitre. Le numéro en rouge signale la page où elles sont décrites.

Ouvrez l'œil !

Soyez vigilant pour la hi-fi, la photo, l'électronique et les imitations de grandes marques. La plupart des boutiques douteuses se trouvent aux abords de 42nd St., dans le quartier de Times Square. Allez y jeter un œil, mais contentez-vous d'y acheter des gadgets. La facture d'achat est indispensable : elle pourra vous être demandée à la douane.

Notre Top des quartiers où shopper

- **Boutiques de luxe**
  5th Ave. (entre 45th et 60th St.) et Madison Ave. – *Voir p. 32 et 34.*
- **Grands magasins et enseignes internationales**
  Broadway, de Times Square à SoHo – *Voir p. 18, 20, 28 et 30.*
- **Mode chic et déco design**
  TriBeCa, SoHo et Meatpacking District – *Voir p. 12, 20 et 24.*

- **Bonnes affaires**
  Canal St. et Orchard Street Bargain District – *Voir p. 15 et 16.*
- **Disques d'occasion et vinyles**
  East Village, West Village et Williamsburg
  Voir p. 18, 22 et 50.
- **Jeunes créateurs et vintage**
  East Village, NoLIta, Greenwich Village et Williamsburg
  Voir *p. 18, 20, 22 et 50.*
- **Gourmandises**
  Chinatown (Grand St.), Chelsea Market et Union Square
  Voir p. 15, 26 et 29.

Notre Top des boutiques les plus branchées

- **Fashionistas**
  Opening Ceremony – *Voir p. 93.*
- ***So girly***
  Anna Sui – *Voir p. 92.*
- ***Brooklyn style !***
  Built by Wendy – *Voir p. 92.*
- **Dandys rock'n'roll**
  John Varvatos – *Voir p. 18.*
- **Kids bobos**
  Lucky Wang – *Voir p. 100.*
- **Vintage chic**
  What Goes Around… – *Voir p. 102.*

- **Fripes *hipsters***
  Beacon's Closet – *Voir p. 50.*
- **Curiosités**
  Obscura – *Voir p. 111.*
- **Vinylemania**
  A-One Record Shop – *Voir p. 117.*

Mais aussi… Les soldes

Les soldes ont lieu en janvier et en juillet.

Les soldes sont plus fréquents et plus nombreux aux États-Unis qu'en Europe. Pour se tenir au courant du calendrier, jetez un œil aux journaux. Les soldes de janvier et de juillet sont institutionnels, mais d'autres périodes méritent aussi votre attention, comme au moment de Thanksgiving (le 4e jeudi du mois de novembre), du President's Day ou du dernier week-end de février. Les soldes les plus réputés et les plus intéressants restent ceux des grands magasins.

Mode femme

New York est la capitale de la mode aux États-Unis. Les plus grands couturiers se concentrent sur Madison et la Cinquième Avenue, tandis que les jeunes stylistes branchés ou excentriques sont installés dans les quartiers du bas de la ville comme NoLIta, SoHo, le Lower East Side, le West Village, l'East Village et certains quartiers de Brooklyn. La plupart des créateurs américains sont aussi représentés dans les grands magasins (pour en savoir plus, voir p. 120).

DKNY

655 Madison Ave., angle 60th St. (B2)
M° 59th St.
☎ (212) 223 35 69
Lun.-sam. 10h-20h, dim. 12h-19h
Robes dès $195.

Impossible de faire l'impasse sur ce superbe magasin de trois étages, consacré aux créations de la célèbre styliste new-yorkaise Donna Karan. Vous trouverez aussi bien des robes de soirée (très chères !) que des jeans, des chaussures ou des accessoires.

Anna Sui

113 Greene St., entre Spring St. et Prince St. (H7)
M° Spring St. ou Prince St.
☎ (212) 941 84 06
www.annasui.com
Lun.-sam. 11h-19h, dim. 12h-18h.

Anna Sui est l'une des coqueluches de SoHo : top models et stars vont y faire

leurs emplettes (de 350 à $650 pour une robe). Dans un beau boudoir tapissé de velours noir, cette styliste vend des vêtements branchés et avant-gardistes, coupés dans de belles matières : velours, tissus moirés, soie... Vous trouverez aussi une sélection de chaussures et accessoires.

Built by Wendy

7 Centre Market Place (dans le prolongement de Baxter St.), entre Broome St. et Grand St. (H7)
M° Spring St.
☎ (212) 925 65 38
www.builtbywendy.com
Lun.-sam. 12h-19h, dim. 12h-18h.

La coqueluche des musiciens, des stars de cinéma et des célébrités de Kirsten Dunst à Sofia Coppola en passant par les White Stripes. Avec deux boutiques à Little Italy et Williamsburg, Wendy Mullin collectionne les fans grâce à ses créations fraîches, nostalgiques et un brin rock. Comptez autour de 130 à $200 pour un top. Pour se concocter un look d'authentique Brooklyn girl !

Opening Ceremony

33 et 35 Howard St., entre Broadway et Crosby St. (H8)
M° Canal St. (lignes Q, N)
☎ (212) 219 26 88
www.openingceremony.us
Lun.-sam. 11h-20h, dim. 12h-19h.

Ce concept store niché dans un entrepôt au sud de SoHo est un incontournable pour aller flairer les dernières tendances new-yorkaises ! Superbe vitrine pour les créateurs américains émergents, on y vient aussi pour les cartes blanches données à des artistes : Spike Jonze et Chloë Sevigny ont dessiné leurs propres collections pour la maison. Entre pièces vintage et de créateurs triées sur le volet, c'est l'adresse des fashionistas ultra-pointues.

Bloomingdale's

1000 3rd Ave., entre 59th et 60th St. (B2)
M° 59th St.-Lexington Ave.
☎ (212) 705 20 00
www.bloomingdales.com
Lun.-sam. 10h-20h30, dim. 11h-19h.

Fondé en 1886, Bloomingdale's est un must new-yorkais. Moins grand que le célèbre Macy's mais beaucoup plus chic et complet, ce grand magasin propose tout ce que vous désirez. À l'étage des grands couturiers, des mannequins déambulent dans les allées, histoire de vous mettre l'eau à la bouche.

Century 21

22 Cortlandt St., entre Church St. et Broadway (B6)
M° Fulton St.-Broadway
☎ (212) 227 90 92
www.c21stores.com
Lun.-mer. 7h45-21h, jeu.-ven. 7h45-21h30, sam. 10h-21h, dim. 11h-20h.

Un grand magasin discount, véritable institution, proposant vêtements, linge de maison, cosmétiques et accessoires de grandes marques aux prix les plus bas de la ville. Certains articles peuvent être soldés jusqu'à 70 % ! Seul hic, s'armer de patience et ne pas avoir peur de la foule (évitez d'y aller le samedi).

Henri Bendel

712 5th Ave., entre 55th et 56th St. (B2)
M° 5th Ave.-53rd St.
☎ (800) 423 63 35
www.henribendel.com
Lun.-sam. 10h-20h, dim. 12h-19h.

C'est le magasin de vêtements pour femmes le plus luxueux de toute la ville. L'endroit se présente comme un grand espace organisé autour d'un atrium et divisé en petites boutiques chic. Le rayon maquillage propose un vaste choix de produits. Profitez-en pour regarder les vitres des étages supérieurs créées par René Lalique en 1912.

Cynthia Rowley

376 Bleecker St., entre Perry St. et Charles St. (G6)
M° Christopher St.
☎ (212) 242 38 03
www.cynthiarowley.com
Lun.-mer. 10h-20h, jeu.-ven. 10h-21h, sam. 11h-21h, dim. 11h-20h.

Le cadre de style années 1950-1960 de ce petit magasin met en valeur les vêtements branchés et les accessoires rétro : robes glamour (de 189 à $480), pantalons taille basse aux couleurs vives, sacs à main vintage. L'univers ultra-féminin de cette créatrice new-yorkaise est à découvrir...

Betsey Johnson

Dans cette boutique à la décoration acidulée et fleurie, Betsey Johnson vend ses propres créations, flamboyantes et glamour. Velours, dentelle, soie, cuir et fausse fourrure font partie des matières fétiches de la styliste. Comptez entre 200 et $600 pour une robe.

138 Wooster St., entre Prince St. et Houston St. (H7)
M° Broadway-Lafayette St. ou Prince St.
☎ (212) 995 50 48
www.betseyjohnson.com
Lun.-sam. 11h-19h, dim.12h-18h.

Les accessoires de mode

Les New-Yorkais raffolent des accessoires de mode, des plus classiques aux plus extravagants, qui égayent ou personnalisent une tenue. À chaque coin de rue, vous tomberez sur un magasin de chaussures, de sacs ou de bijoux. Certains recèlent de véritables trésors, alliant créativité, originalité et qualité.

SO SEXY

Agent Provocateur

133 Mercer St. (H7)
M° Prince St. ou Broadway-Lafayette St.
☎ (212) 965 02 29
www.agentprovocateur.com
Lun.-sam. 11h-19h, dim. 12h-18h.

Grâce à sa vitrine volontairement aguicheuse, vous ne pourrez pas manquer cette boutique de lingerie, aussi étroite soit-elle. De français, elle ne porte que le nom, car il s'agit là d'une marque anglaise hautement appréciée par toutes les mordues de la mode et de la sensualité ! Dentelles, corsets, guêpières, porte-jarretelles... une ligne coquine mais très féminine !

Victoria's Secret

911 Ave. of the Americas, angle 34th St. (B3)
M° 34th St.-Herald Square
☎ (212) 356 83 80
www.victoriassecret.com
Lun.-sam. 9h-21h30, dim. 11h-20h.

Victoria's Secret est la marque de lingerie la plus populaire aux États-Unis. Des ensembles ultra-sexy ou en coton fleuri, de très beaux bodys, un joli choix de guêpières et une gamme très variée de déshabillés dans des matières actuelles. Vous trouverez également du parfum et une collection de collants. À partir de $40

pour un soutien-gorge et de $28 pour une nuisette.

CHAPEAUX MELON…

Kangol

196 Columbus Ave. entre W 68th et W 69th St. (A2)
M° 66th St.-Lincoln Center
☎ (212) 724 11 72
www.kangolstore.com
Lun.-mar. 10h-19h30 (en été jusqu'à 21h), mer.-sam. 10h-21h, dim. 11h-20h.

À l'origine, dans les années 1950, Kangol était un fabricant de bérets. Aujourd'hui, la marque fait partie des plus appréciées à l'échelle mondiale, habillant nos têtes de façon confortable, moderne et branchée. Du modèle culte de casquette 504 (mis en valeur par Samuel L. Jackson dans le film *Jackie Brown*) aux charmantes cloches, le petit kangourou est partout et il y en a pour tous les goûts. Comptez $38 pour un béret en laine et $60 pour une cloche en angora.

… ET BOTTES DE CUIR

John Fluevog

250 Mulberry St., angle Prince St. (H7)
M° Prince St.
☎ (212) 431 44 84
www.fluevog.com
Lun.-sam. 11h-20h, dim. 12h-19h.

Avant-garde ou streetwear, les chaussures de John Fluevog sont ultra-branchées mais toujours élégantes. Ses créations feront le bonheur de celles qui aiment les semelles compensées, les matières folles et les couleurs délirantes. John Fluevog dessine en exclusivité chacun de ses modèles avec, en prime, des semelles entièrement naturelles en caoutchouc végétal ! Comptez au moins $200 pour une paire de bottes.

Manolo Blahnik

31 W 54th St., entre 5th et 6th Ave. (B2)
M° 5th Ave. (lignes E, V)
☎ (212) 582 30 07
www.manoloblahnik.com
Lun.-ven. 10h30-18h, sam. 10h30-17h30, dim. 12h-17h.

Les gens fortunés, les plus belles femmes du monde et les fans de *Sex and the city* viennent trouver chaussure à leur pied dans cette magnifique boutique très, très chère (les prix ne sont dévoilés qu'aux clients… mais à vous on peut le dire, comptez $550 pour une paire d'escarpins !).

LUNETTES

Selima

59 Wooster St., angle Broome St. (H7)
M° Spring St.
☎ (212) 343 94 90
www.selimaoptique.com
Lun.-sam. 11h-20h, dim. 12h-19h.

Dans ce magasin singulier et chaleureux, vous pourrez trouver à la fois des lunettes de soleil et des lunettes de vue (dès $250 la paire). Selima a créé ses propres modèles, allant de la monture noire classique aux lunettes roses seventies. Quelques grandes marques de renom comme Gucci ou Armani sont également représentées. Avant de partir, pensez à jeter un coup d'œil à la petite collection de chapeaux ultra-tendance.

Oliver Peoples

366 W Broadway, entre Prince St. et Spring St. (H7)
M° Spring St. (lignes C, E)
☎ (212) 925 54 00
www.oliverpeoples.com
Lun.-sam. 11h-19h, dim. 12h-18h.

Oliver Peoples est la coqueluche américaine en matière d'optique. Tout un tas de modèles sympas, rétro ou modernes, et une superbe gamme de lunettes et clips solaires. Les prix sont moins élevés que chez les dépositaires français de la marque (à partir de $300). Autant en profiter...

MONTRES ET BIJOUX

Tourneau

12 E 57th St., angle Madison Ave. (B2)
M° 59th St.
☎ (212) 758 73 00
www.tourneau.com
Lun.-sam. 10h-18h (19h jeu.), dim. 11h30-17h30.

Imaginez un grand magasin entièrement consacré aux montres. Plus de 7 000 modèles de 100 marques différentes sont présentés sur trois étages. Un petit espace au sous-sol organise des expositions plusieurs fois par an. À noter, une intéressante sélection de montres anciennes.

Stuart Moore

411 W Broadway, angle Watts St. (H7)
M° Spring St.
☎ (212) 941 10 23
www.stuartmoore.com
Lun.-sam. 11h-19h, dim. 11h-18h.

Ce joaillier propose des créations contemporaines originales, réalisées par des designers européens (suisses et allemands). L'association de matières ainsi que les modèles sont superbes. Des bijoux pour elle et lui (boutons de manchettes, montres) à des prix très abordables.

IT BAGS

Love Shine

543 6th St., entre Ave. A et Ave. B (I6)
M° 2nd Ave.
☎ (212) 387 09 35
www.loveshinenyc.com
T. l. j. 13h-21h.

Cette boutique-atelier très originale reflète merveilleusement l'ambiance « artisanale » de l'East Village. Mark Seamon y fabrique des sacs et accessoires (env. 40 à $50) dans des matières inattendues et très colorées. Que ce soit avec de la toile cirée aux tons acidulés (venue tout droit du Mexique) ou de la fausse fourrure, il crée sacs à dos, portefeuilles, trousses de toilette ou encore sacs à main de manière très inventive. Les plus excentriques ne manqueront pas les sacs en bandoulière à l'effigie de Jésus !

High*Way

238 Mott St., entre Prince St. et Spring St. (H7)
M° Prince St.
☎ (212) 966 43 88
www.highwaybuzz.com
T. l. j. 11h-19h.

Voici une superbe boutique de sacs à découvrir. Jem Filippi, designer de la marque, crée des accessoires haut de gamme en associant matières, couleurs et détails ultra-raffinés. Il n'hésite pas à agrémenter ses créations d'une broderie d'inspiration japonaise ou d'un petit logo pop art pour rehausser leur style. Le véritable souci du détail ! Résultat : vous pourrez repartir avec des sacs à main ou en bandoulière (à partir de $100), des pochettes pour ordinateur ou encore des portefeuilles (env. $80) à glisser dans votre valise avec bonheur.

Coach

595 Madison Ave., angle 57th St. (B2)
M° 59th St.
☎ (212) 754 00 41
www.coach.com
Lun.-sam. 10h-20h, dim. 11h-18h.

L'un des magasins de maroquinerie les plus célèbres, une institution aux États-Unis. Il offre un choix considérable d'articles de très beaux cuirs (sacs, ceintures, portefeuilles, objets de bureau) déclinés dans des couleurs variées qui respectent les dernières tendances de la mode. Les prix sont élevés mais s'expliquent par la qualité des produits, pour la plupart garantis à vie.

Token

258 Elizabeth St., entre Houston St. et Prince St. (H7)
M° Broadway-Lafayette St.
☎ (212) 226 96 55
www.tokenbags.com
Lun.-sam. 11h-19h, dim. 12h-19h.

Lancée en 1980, la marque de sacs en toile Manhattan Portage est devenue plus que célèbre grâce à ses *messenger bags* (env. $200). Déclinés dans une large gamme de couleurs et de formes, ces fameux sacs en bandoulière (de 79 à $260) ont conquis le monde entier. Aujourd'hui, elle lance une seconde ligne de sacs sous la marque Token, encore plus mode, plus chic, dans des

matières qui vont de la toile au cuir. Token est le dépositaire de ces deux marques.

M0851

415 W Broadway St., entre Prince St. et Spring St. (H7)
M° Prince St.
☎ (212) 431 30 69
www.m0851.com
Lun.-sam. 11h-19h, dim. 11h-18h.

Impossible de résister devant la qualité, les nuances de couleurs et les modèles de ces vêtements et accessoires en cuir. La petite marque montréalaise a su s'imposer et possède déjà deux magasins à New York (l'autre se trouve 635 Madison Ave. – B2). À la fois chic et sportswear, colorés et discrets, pratiques et originaux, leurs articles vous séduiront à coup sûr !

Kate Spade

Les sacs de Kate Spade sont très populaires et prisés à New York. Les New-Yorkaises raffolent de leur style plutôt ville et classique ! Le cuir est d'excellente qualité, et les prix peuvent monter jusqu'à $500 pour un sac à main ! Également toute une gamme d'accessoires (lunettes, agendas, bonnets...).

454 Broome St., angle Mercer St. (H7)
M° Prince St. ou Spring St.
☎ (212) 274 19 91
www.katespade.com
Lun.-sam. 11h-19h, dim. 12h-18h.

Mode homme

Manhattan est réputée pour être la capitale du vêtement pour hommes. Les plus grands créateurs présentent ici leurs collections. Même les hommes les plus réticents à faire du shopping seront séduits par la diversité des styles proposés : classique, *british*, sportswear, etc.

Kenneth Cole

95 5th Ave., angle E 17th St (B4)
M° 14th St.-Union Square
☎ (212) 675 25 50
www.kennethcole.com
Lun.-sam. 10h-20h, dim. 11h-19h.

Un style à la fois classique et branché pour cette marque américaine qui habille aussi bien les hommes que les femmes. Les matières sont toujours d'excellente qualité, et les prix varient sensiblement d'un modèle à l'autre (de 295 à $600 pour une veste en cuir). Cette boutique offre également un grand choix d'accessoires allant des lunettes aux ceintures, sans oublier les chaussures.

Odin

328 E 11th St.,
entre 2nd et 1st Ave. (I6)
M° 1st Ave.
☎ (212) 475 06 66
www.odinnewyork.com
Lun.-sam. 12h-21h, dim. 12h-19h.

Une adresse dont les jeunes messieurs s'empareront avec plaisir ! Vous y trouverez de tout : costumes, pulls, chemises, tee-shirts, chaussures, baskets, ceintures, chapeaux... Dans un style chic et décontracté, un brin fashion, un brin sportswear, Odin propose une sélection raffinée de vêtements et accessoires de petites marques montantes ou de jeunes designers à découvrir. Un régal !

Barneys

660 Madison Ave.,
angle 61st St. (B2)
M° 5th Ave.-59th St.
☎ (212) 826 89 00
www.barneys.com
Lun.-ven. 10h-20h, sam. 10h-19h, dim. 11h-18h.

Tous les créateurs les plus en vue sont présents dans ce haut lieu du luxe. Les businessmen new-yorkais ont adopté ce magasin pour acheter leurs costumes dernier cri. Si vous aimez les vêtements streetwear et sportswear, sachez que Barneys a ouvert deux magasins consacrés à un style plus jeune et décontracté (mais tout aussi cher !) : Co-op SoHo (116 Wooster St. – H7) et Co-op Chelsea (236 W 18th St. – A4).

Brooks Brothers

346 Madison Ave., angle E 44th St. (B3)
M° 5th Ave.-Bryant Park
☎ (212) 682 88 00
www.brooksbrothers.com
Lun.-ven. 8h-20h, sam. 9h-19h, dim. 11h-19h.

Brooks Brothers est le magasin classique traditionnel pour hommes. Les costumes sont d'une grande sobriété, très élégants et réalisés dans des tissus raffinés d'excellente qualité. Large choix de cravates, de chemises, de boutons de manchettes... Les caleçons sont extrêmement confortables ($25).

Paul Smith

108 5th Ave., entre 15th et 16th St. (B4)
M° 14th St. ou 6th Ave.
☎ (212) 627 97 70
www.paulsmith.co.uk
Lun.-sam. 11h-19h (20h jeu.), dim. 12h-18h.

Paul Smith propose des vêtements chic dans un style très *british* pour le gentleman décontracté. Les chemises, costumes et complets sont un mélange parfait de matières de qualité et de coupes somptueuses. Vous trouverez également une vaste gamme d'accessoires.

Banana Republic Men

114 5th Ave., entre 16th et 17th St. (B4)
M° 14th St. ou 6th Ave.
☎ (212) 366 46 91
www.bananarepublic.gap.com
Lun.-ven. 10h-21h, sam. 10h-20h, dim. 11h-20h.

Le petit frère de GAP (c'est la même société) mais en plus sophistiqué. Les vêtements sont toujours extrêmement bien coupés, et les matières de grande qualité. Que vous cherchiez un costume classique, un jean, un pull ou de simples tee-shirts, vous trouverez forcément votre bonheur ici.

Les prix sont plutôt corrects (entre 100 et $150 pour un pantalon à pinces).

Abercrombie & Fitch

199 Water St., entre John St. et Fulton St. (B6)
M° Fulton St.
☎ (212) 809 90 00
www.abercrombie.com
Lun.-sam. 10h-19h (21h en été), dim. 11h-18h (20h en été).

Est-il encore nécessaire de présenter LA marque qui

rencontre un succès mondial auprès des jeunes ? Un look sympa, un brin BCBG, un brin laisser-aller. Chemises, polos rayés et pantalons de toile extralarges. Idéal pour le week-end ou le sport. Les tissus sont très résistants, et les couleurs variées.

J. Crew

484 Broadway, angle Broome St. (H7)
M° Prince St.
☎ (212) 343 12 27
www.jcrew.com
Lun.-sam. 10h-20h, dim. 11h-19h.

Ce magasin de la société de vente par correspondance du même nom propose des vêtements plus sophistiqués que GAP, décontractés et mode. Grand choix de chemises et caleçons amusants, à des prix modérés. La boutique femme se situe au 99 Prince St. (H7).

Calvin Klein

Ce superbe magasin sur deux étages, aux plafonds très hauts, a été décoré avec une grande sobriété. Les murs blancs, les portants et les quelques tables en verre mettent en valeur les vêtements épurés aux matières raffinées du célèbre couturier, qui fait de plus en plus de ravages chez les teenagers. Il est indispensable de rapporter au moins les célèbres slips et caleçons (env. $20) que vous aurez soin de faire dépasser de votre jean pour en montrer la griffe.

654 Madison Ave., angle 60th St. (B2)
M° 5th Ave. ou 59th St. – ☎ (212) 292 90 00
Lun.-sam. 10h-18h (19h jeu.), dim. 12h-18h.

Mode enfant

Faire du shopping à New York pour les tout-petits (et les plus grands) est un vrai plaisir tant les boutiques sont nombreuses. Il s'en ouvre de plus en plus (surtout dans les quartiers de SoHo et de TriBeCa), qui proposent des modèles très fashion ; ce qui, bien sûr, fait grimper les prix. Tous les grands magasins possèdent aussi un important rayon de vêtements pour enfants.

Lucky Wang

799 Broadway, entre 10th et 11th St. (H6)
M° 8th St.
☎ (212) 353 28 50
www.luckywang.com
Lun.-sam. 11h-19h, dim. 12h-18h.

Enfin une boutique vraiment singulière qui propose des modèles stylisés que vous ne trouverez nulle part ailleurs (et certainement pas dans les grandes chaînes). La star du magasin est le *Kawaii Kimono* (à partir de $34) décliné dans différents tissus (le « Pink Sakura » est à croquer !). Lucky Wang habille les petits de la naissance à 8 ans. Vous y trouverez également les marques Pom d'Api, Egg, Bakker made with love, Kids Case, Trunk, Milk on the Rocks, etc.

Old Navy

610 Ave. of the Americas et 18th St. (B4)
M° 14th St.
☎ (212) 645 06 63
www.oldnavy.gap.com
Lun.-sam. 9h-21h30, dim. 10h-20h.

Old Navy habille toute la famille, mais le 1er étage de cet immense magasin est consacré aux nouveau-nés, aux enfants et aux femmes enceintes. Spécialisé dans le jean et le streetwear, on y trouve des vêtements basiques et confortables, bref, tout ce que nos petits apprécient le plus... Comptez environ $20 pour un jean, $16 pour une robe et $15 pour une salopette.

Baby GAP et GAP Kids

60 W 34th St. entre 5th Ave. et Ave. of the Americas (B3)
M° 34th St.-Herald Square
☎ (212) 760 12 68
www.gap.com
Lun.-ven. 9h-21h, sam. 10h-21h, dim. 10h-20h.

Même si vous n'êtes pas fan de la marque GAP pour adultes, vous serez forcément séduit par les collections pour enfants (au 2e étage). La qualité est au rendez-vous, les prix intéressants, et les modèles nombreux. Jeans, vestes en jean et doudounes sont un must ! Baby Gap habille les tout-petits de la naissance à 5 ans, et Gap Kids les enfants jusqu'à 16 ans.

Shoofly

42 Hudson St., entre Thomas St. et Duane St. (H8)
M° Chambers St.
www.shooflynyc.com
☎ (212) 406 32 70
Lun.-sam. 10h-19h, dim. 12h-18h.

Au cœur de TriBeCa, haut lieu de la mode enfantine, ce magasin est essentiellement dédié aux pieds de nos bambins (env. $100) : chaussures, bottes, sandales, baskets, chaussons... Toutes les marques les plus originales y sont. Quelques accessoires (barrettes, lunettes...) et de magnifiques cirés (pour les assortir aux bottes !).

Space Kiddets

26 E 22nd St., entre Broadway et Park Ave. (B4)
M° 23rd St.
☎ (212) 420 98 78
www.spacekiddets.com
Lun.-mar. et ven.-sam. 10h30-18h, mer.-jeu. 10h30-19h, dim. 11h-17h.

L'endroit rêvé pour trouver absolument tout pour vos enfants : des jouets-gadgets en passant par des biberons ou des tétines, le tout au beau milieu d'une jolie sélection de vêtements de 0 à 13 ans. Les chaussons et les chaussures de ville voisinent avec les petites bottes de pluie façon cow-boy. Vous pourrez aussi déguiser vos enfants, car vous êtes ici au royaume de la panoplie !

Gymboree

1120 Madison Ave., entre 83rd et 84th St. (B1)
M° 86th St.
☎ (212) 717 67 02
www.gymboree.com
Lun.-ven. 10h-19h, sam. 10h-18h, dim. 12h-17h.

De la naissance à l'âge de 12 ans, vous trouverez absolument tout ce dont rêvent vos *fashion kiddies* ! De la grenouillère pour nouveau-né ($22) au jean pour pré-adolescent ($30) en passant par une robe flashy pour petite fille ($40), cette chaîne de magasins est une véritable vitrine du style américain... pour enfants. Les parents vont être jaloux !

Giggle

1033 Lexington Ave., entre 74th et 75th St. (B1)
M° 77th St.
☎ (212) 249 42 49
www.giggle.com
Lun.-sam. 10h-19h, dim. 11h-18h.

Healthy, happy, baby... tout un programme. Cette immense boutique propose linge de maison, vêtements et accessoires (entre 5 et $50), objets de décoration (entre 15 et $175), livres ($12 en moyenne), poussettes et autres matériels pour bébés et enfants. Des couleurs pop et tendance, un design intemporel, des matières agréables... le tout conçu dans un esprit ludique et éducatif. Giggle est tout simplement un coin de paradis pour nos chères têtes blondes comme pour leurs parents.

YOYA

Yoya vous propose vêtements, meubles, objets, jouets, livres et accessoires, tous plus stylisés les uns que les autres. Malgré des prix élevés, il est difficile de ne pas craquer devant ces tuniques colorées au style nonchalamment hippie signées Yoya, AntikBatik, MeganPark ou Siao Mimi. Un espace jeux permet aux enfants de patienter en s'amusant pendant que les mamans font leur choix.

636 Hudson St., angle Horatio St. (G6) – M° 8th Ave.-14th St.
☎ (646) 336 68 44 – www.yoyanyc.com
Lun.-sam. 11h-19h, dim. 12h-17h.

Vintage et occasion

Les New-Yorkais n'ont pas de complexe en matière de vêtements et ont toujours adoré mélanger les styles. Du coup, la fripe est très prisée, et l'accessoire ou la robe rétro sont devenus des musts à mélanger avec des tenues plus actuelles. Pour les fous de la fripe, c'est l'occasion d'aller fouiner et de découvrir des pièces rares.

Cheap Jack's

303 5th Ave., angle 31st St. (B3)
M° 34th St. ou 33rd St.
☎ (212) 777 95 64
www.cheapjacks.com
Lun.-sam. 11h-20h,
dim. 12h-19h.

Voilà un magasin de fripes qui propose un stock tout à fait exceptionnel de vêtements des années 1930-1940 à nos jours, avec un goût pour le look des années 1970. Des petites raretés qui feront soupirer de plaisir les fans de la génération *peace and love* : une collection de blousons, de vestes de cuir ou de jeans, de manteaux de fourrure et de pantalons à faire pâlir d'envie les héros de *Chapeau melon et bottes de cuir*. Un seul inconvénient : les prix sont légèrement élevés, mais si vous fouillez un peu, vous trouverez des articles soldés autour de $30.

What Goes Around Comes Around

351 W Broadway,
entre Grand St. et Broome St. (H7)
M° Spring St.
☎ (212) 343 12 25

www.whatgoesaroundnyc.com
Lun.-sam. 11h-20h, dim. 12h-19h.

Une des meilleures adresses de vintage pour les jeans (entre 200 et $300), le cuir et les vêtements un peu rétro pour femmes. Une immense collection d'accessoires (bijoux, sacs à main – dès $800 –, etc.) et de *western wear* qui vous plongera au temps des cow-boys. De quoi trouver la robe de soirée hippie chic dont vous avez toujours rêvé !

Screaming Mimi's

382 Lafayette St., entre
4th St. et Great Jones St. (H6-7)
M° Astor Place
☎ (212) 677 64 64
www.screamingmimis.com
Lun.-sam. 12h-20h, dim. 13h-19h.

Des fripes des années 1950, 1960, 1970 et 1980

d'excellente qualité et très bien présentées. Un grand choix de chaussures presque neuves de toutes les époques de 40 à $200. De jeunes stylistes ont aussi déposé des bijoux, souvent très drôles et plutôt kitsch, ainsi que des vêtements toujours d'inspiration rétro. On trouve également une petite gamme de produits de beauté aux nuances de couleurs assez inhabituelles.

Hell's Kitchen Flea Market

W 39th St., entre 9th et 10th Ave. (A3)
M° 42nd St.
www.hellskitchenfleamarket.com
Sam.-dim. 9h-17h.

Hell's Kitchen est le nom donné au quartier situé au nord de Chelsea entre 34th et 59th St. Son marché aux puces est considéré par beaucoup comme le meilleur de New York. Outre les nombreux stands consacrés aux vêtements, bijoux et accessoires vintage, vous pourrez y chiner de la petite brocante ou des antiquités hors de prix : appareils photo, vaisselle, phonographes, objets militaires, meubles industriels, photos oubliées et bibelots kitsch.

INA

• Femmes : 21 Prince St. (H7)
☎ (212) 334 90 48
• Hommes : 19 Prince St. (H7)
M° Prince St.
☎ (212) 334 22 10
www.inanyc.com
Lun.-sam. 12h-20h, dim.12h-19h.

Chez INA, vous trouverez de nombreux vêtements dont se débarrassent les mannequins fauchés. Des robes de soirée de stylistes reconnus, restées en excellent état, sont vendues à partir de $100,

ainsi qu'une impressionnante collection de chaussures (on trouve des grandes tailles). Vous pourrez aussi coordonner vos tenues grâce au rayon accessoires. Une adresse très branchée (donc chère) où se ruent toutes les *fashion victims*.

GreenFlea Market on Columbus Avenue

Columbus Ave.,
entre 76th et 77th St. (A1)
M° 79th St. ou 81st St.
☎ (212) 239 30 25
www.greenfleamarkets.com
Avr.-oct. : dim. 10h-18h ;
nov.-mars : dim. 10h-17h30.

Allez découvrir ce petit marché aux puces de l'Upper West Side qui est installé dans une cour d'école. On y vend de tout et pour tout le monde, aussi bien des bijoux, des meubles, des bibelots, que des vêtements de jeunes stylistes. Une partie de ce marché est également réservée aux adeptes des produits bio, fabriqués artisanalement. Vous pourrez acheter de succulentes confitures et de savoureux gâteaux, parmi lesquels le *Marble Loaf* ou encore le *Blueberry Pie*.

Zachary's Smile

Ce superbe magasin nous prouve avec brio que « vintage » ne veut pas forcément dire veste en cuir râpée ou jean troué. Ici, vous êtes dans l'univers de la femme ultra-féminine, romantique et raffinée. Les robes sont à l'honneur avec des tissus colorés, des patchworks et des dentelles pour des formes fluides et légères, très actuelles, mettant impeccablement en valeur celles qui les portent. Comptez au minimum $50 pour une robe et $30 pour un haut.

9 Greenwich Ave., entre 10th et Christopher St. (G6)
M° Christopher St.-Sheridan Sq.
☎ (212) 924 06 04 – Lun.-sam. 12h-20h, dim. 12h-19h.

Sportswear

Impossible de se balader dans Manhattan sans croiser des joggers, des cyclistes, des teenagers sur Rollerblade ou encore des basketteurs disputant quelques matchs improvisés. Les New-Yorkais compensent le stress par une passion immodérée pour le sport. Voilà bien longtemps qu'ils ont lancé la mode décontractée du sportswear : jeans, baskets et sweats ou polos à l'effigie des grandes marques (Nike, Reebok, etc.). **Pour en savoir plus sur le marché du sportwear, voir p. 122.**

Converse

560 Broadway, angle Prince St. (H7)
M° Prince St.
☎ (212) 966 10 99
www.converse.com
Lun.-ven. 10h-20h, sam. 10h-21h, dim. 11h-19h.

L'unique magasin new-yorkais de la célèbre marque américaine vient d'ouvrir ses portes à SoHo. Vous y découvrirez la plus grande collection de *sneakers* (baskets ; dès $50), de vêtements et d'accessoires avec quantité de modèles introuvables ailleurs. Pour les plus créatifs, personnalisez votre paire de *sneakers* avec votre propre graphisme dans l'espace de customisation.

Levi's Store

536 Broadway, angle Spring St. (H7)
M° Broadway-Lafayette St.
☎ (646) 613 18 47
www.us.levi.com
Lun.-jeu. 10h-20h, ven.-sam. 10h-21h, dim. 11h-20h.

Un magasin entièrement consacré à la marque, au cœur de SoHo, où vous trouverez toute la collection de jeans et des vêtements pour hommes et pour femmes. À partir de $60 pour un jean.

Paragon Sporting Goods Company

867 Broadway, angle 18th St. (B4)
M° 14th St.-Union Square
☎ (212) 255 88 89
www.paragonsports.com
Lun.-sam. 10h-20h, dim. 11h-19h.

Difficile de parler de magasins de sport sans évoquer cette institution. Elle se démode un peu avec le temps et la concurrence de petites boutiques spécialisées, mais vous y trouverez tous les accessoires nécessaires, notamment des maillots de bain et des chaussures de randonnée.

Lucky Brand

38 Greene St., angle Grand St. (H7)
M° Canal St.
☎ (212) 625 07 07
www.luckybrand.com
Lun.-sam. 10h-19h, dim. 11h-18h.

Moins connue que Levi's, cette marque américaine propose jeans et vêtements de bonne qualité, bien coupés, à des prix bien plus abordables. Prenez le temps de découvrir cette boutique avec son plancher de bois et son ambiance Far West. Vous n'en repartirez sûrement pas les mains vides...

Niketown

6 E 57th St., à proximité de 5th Ave. (B2)
M° 5th Ave.-59th St.
☎ (212) 891 64 53
www.store.nike.com
Lun.-sam. 10h-20h, dim. 11h-19h.

La démesure façon Nike. Derrière une façade aux allures de vieux gymnase, cinq étages uniquement dédiés à la marque ! Très tendance, les prix grimpent vite : jusqu'à $180 la paire de baskets !

Patagonia

101 Wooster St., à proximité de Spring St. (H7)

M° Spring St.
☎ (212) 343 17 76
www.patagonia.com
Lun.-sam. 11h-19h, dim. 12h-18h.

Un magasin connu pour ses vêtements de sport, en particulier de montagne. Patagonia a développé un polyester très doux et chaud. Des gammes de vestes et sweat-shirts très colorées.

Supreme

274 Lafayette St., angle Prince St. (H7)
M° Prince St. ou Spring St.
☎ (212) 966 77 99
www.supremenewyork.com
Lun.-jeu. 11h30-19h, ven.-sam. 11h-19h30, dim. 12h-18h.

Les amateurs de skate se retrouvent devant le magasin, vous ne pourrez donc pas le manquer : c'est ici qu'arrivent les dernières nouveautés en matière de skateboards et toute la panoplie qui va avec (vêtements, accessoires...). Les spécialistes de la planche

à roulettes seront comblés ! Juste à côté, vous trouverez d'autres grandes enseignes du sportswear comme Triple Five Soul ou Brooklyn Industries (voir p. 51).

Foot Locker

734 Broadway, angle Astor Place (H6)
M° 8th St.
☎ (212) 995 03 81
www.footlocker.com
Lun.-sam. 9h-21h, dim. 10h-19h.

On trouve la sélection de baskets Foot Locker à tous les coins de rue ! Les derniers modèles et les marques les plus célèbres sont à des prix raisonnables. Si vous ne trouvez pas l'objet de vos rêves, faites un tour chez David Z, le choix est grand et c'est souvent un peu moins cher (un autre magasin sur Broadway au numéro 541 – H7).

Blades Downtown

659 Broadway, entre Bleecker St. et Bond St. (H7)
M° Broadway-Lafayette St.
☎ (212) 477 73 50
www.blades.com
Lun.-sam. 10h-21h, dim. 11h-19h.

Difficile de trouver plus complet en matière de Rollerblade. Cette boutique propose aussi un rayon de vêtements et de sacs pour les fous de la glisse. Grand choix de skateboards et de snowboards.

Alife Rivington Club

Aucune enseigne extérieure n'indique ce magasin, comme s'il s'agissait d'un secret bien gardé réservé aux seuls véritables passionnés de... la basket. L'intérieur ressemble indéniablement plus à une salle de musée qu'à une boutique, où les vénérables chaussures sont présentées sur des étagères telles des œuvres d'art. Ici, vous ne trouverez pas les derniers modèles, mais plutôt les anciens (voire très anciens), toutes marques confondues. Le paradis du collectionneur !

158 Rivington St. (I7) - M° Delancey St. ou Delancey St.-Essex St.
Lun.-sam. 11h-19h, dim. 12h-18h.

Secrets de beauté

La beauté et le bien-être sont des thèmes chers aux New-Yorkaises, et depuis ces dernières années, les magasins et instituts de soins fleurissent dans la ville ! À chaque coin de rue, vous découvrirez un centre de manucure où les soins sont rapides et souvent moins chers qu'en France. Et sachez que les produits à base de plantes ou d'ingrédients naturels sont largement plébiscités (pour en savoir plus, voir p. 118).

Sabon

93 Spring St., entre Mercer St. et Broadway (H7)
M° Spring St.
☎ (212) 925 07 42
www.sabonnyc.com
Jan.-avr. : lun.-sam. 10h-21h, dim. 11h-20h30 ; mai-déc. : lun.-sam. 10h-22h, dim. 11h-20h30.

Une gamme de produits 100 % naturels destinés au corps et au visage, fabriqués à partir d'huiles issues de l'aromathérapie, avec des mariages de senteurs inattendus, le tout pour un résultat parfait ! Essayez le gommage pour le corps orange-gingembre ou bien le lait lavande-patchouli-vanille. Le must : les barres de *Body Butter*, un soin au beurre de karité ($12), ou le savon à la glycérine, aux saveurs de *dulce de leche* ($7).

MAC

506 Broadway, entre Spring St. et Broome St. (H7)
M° Spring St. ou Prince St.
☎ (212) 334 46 41
www.maccosmetics.com
Lun.-sam. 10h-21h, dim. 11h-20h.

Make-up Art Cosmetics a été lancé en1984 par deux maquilleurs canadiens professionnels. Depuis, cette marque connaît un succès international, notamment grâce à ses rouges à lèvres et à ses ombres à paupières déclinés dans des couleurs originales (la série de rouges à lèvres « givrés » comprend quarante-neuf teintes différentes !). À partir de $14 pour une ombre à paupières et de $15 pour un rouge à lèvres.

Face Stockholm

Time Warner Center
10 Columbus Circle, entre Columbus Circle et W 58th St. (A2)
M° 59th St.-Columbus Circle
☎ (212) 823 94 15
www.facestockholm.com
Lun.-sam. 10h-21h, dim. 11h-19h.

Ce magasin au design épuré offre une grande sélection de produits de maquillage professionnel : une incroyable gamme de rouges à lèvres (de 22 à $25), des crayons ($17), des éponges gratuites, et d'excellents conseils si vous voulez changer de tête. Testez les fonds de teint exceptionnellement fluides.

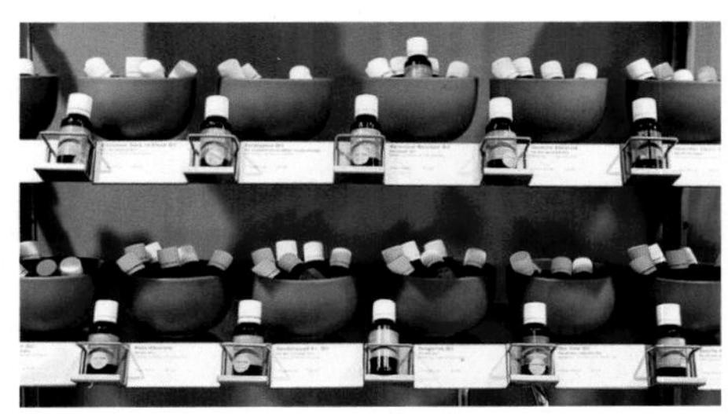

Bath & Body Works

441 Lexington Ave., angle 44th St. (B3)
M° Grand Central
☎ (212) 297 09 01
www.bathandbodyworks.com
Lun.-ven. 8h-20h, sam. 10h-20h, dim. 11h-18h.

Pourquoi faire une halte ici ? Parce que la marque a mis au point une exceptionnelle ligne d'aromathérapie bon marché : huiles de massage, gels corps ou cheveux aux parfums subtils (de 10 à $25 pour un shampoing). Leur ligne pour le corps au concombre et au melon est aussi très réputée. La marque possède une seconde boutique située au 304 Park Ave. South (B3), ☎ (212) 260 92 93.

Whole Body

Whole Foods Market
4 Union Square South (H6)
M° 14th St.-Union Square
☎ (212) 673 53 88
T. l. j. 8h-23h.

Cette adresse risque de vous surprendre puisqu'il s'agit d'un supermarché de la beauté et du bien-être. Whole Body ne propose que des produits naturels, venus de toutes les régions des États-Unis. Essayez les dentifrices de chez Tom's of Maine, les laits pour le corps de chez Kiss My Face, ou encore la crème de jour à la carotte et le baume à lèvres de chez Burt's Bees.

Aveda

456 W Broadway, entre Prince St. et Houston St. (H7)
M° Prince St. ou Spring St.
☎ (877) 283 32 29
www.aveda.com
Lun.-ven. 10h-21h (20h jeu.), sam. 9h-20h, dim. 11h-19h.

Vous trouverez ici une ligne exclusive de produits pour le corps, la peau et les cheveux, et du maquillage fabriqué uniquement à partir d'extraits de plantes et de fleurs. Essayez la délicieuse collection d'huiles pour le corps.

Fresh

57 Spring St., entre Lafayette St. et Mulberry St. (H7)
M° Spring St.
☎ (212) 925 00 99
www.fresh.com
Lun.-sam. 10h-20h, dim. 12h-18h.

Cette marque très populaire a la particularité d'avoir comme base de tous ses produits des ingrédients naturels. Les laits pour le corps Milk ($22,50), la crème pour le visage Soy ($42) ou la barre d'argile Umbrian Clay ($38) font partie des musts.

Kiehl's

109 3rd Ave., angle 13th St. (H6)
M° 3rd Ave.
ou 14th St.-Union Square
☎ (212) 677 31 71
www.kiehls.com
Lun.-sam. 10h-20h, dim. 11h-18h.

Impossible de venir à New York sans passer par cette institution (présente depuis 1851 !), d'autant que le magasin est équipé d'un comptoir café. Testez leurs baumes pour les lèvres ou leurs crèmes pour le corps. Vous ne serez pas déçu par la qualité.

Le Labo

Vous entrez ici dans un labo, mais pas n'importe lequel ! Il s'agit d'un laboratoire de luxe dans lequel on vous préparera, à partir des fragrances proposées, votre propre eau de toilette, votre lait pour le corps ou votre huile de beauté. Aucun produit n'est stocké, tout est fait à la demande. Les fragrances sont plus qu'alléchantes : rose, fleur d'oranger, bergamote, ambrette ou encore vétiver. Mais tout cela a un prix : comptez $65 pour un lait corporel de 237 ml !

233 Elizabeth St., entre Prince St. et Houston St. (H7)
M° Prince St. ou Bleecker St. – ☎ (212) 219 22 30
www.lelabofragrances.com – T. l. j. 11h-19h.

Maison et décoration

***Home Sweet Home* pourrait être la devise des New-Yorkais tant ils attachent d'importance à l'aménagement de leur intérieur. Les boutiques de décoration proposent des produits intéressants dans le domaine du linge de maison (coton d'excellente qualité à prix doux – pour en savoir plus, voir p. 119), de la vaisselle et plus généralement tout ce qui touche à la cuisine.**

Bed, Bath & Beyond

620 6th Ave., angle 18th St. (B4)
M° 14th St.
☎ (212) 255 35 50
www.bedbathandbeyond.com
T. l. j. 8h-21h.

Tout ce dont vous avez besoin pour la maison se trouve dans cet immense supermarché plutôt classe. Une des meilleures adressses à New York pour trouver des draps de lit, des housses de couette et surtout des articles de cuisine. Des traditionnelles poêles, bouilloires et plats aux gadgets les plus inattendus mais tellement utiles, vous ne saurez plus où donner de la tête. À vos cabas !

Broadway Panhandler

65 E 8th St., entre Mercer St. et Broadway (H6)
M° 8th St.
☎ (866) 266 59 27
www.broadwaypanhandler.com
Lun.-sam. 11h-19h (20h jeu.), dim. 11h-18h.

Tous les ustensiles de cuisine, du plus basique au plus haut de gamme, se trouvent dans ce superbe magasin. Que vous cherchiez un authentique wok chinois ou une machine à cappuccinos italienne, c'est ici qu'il faut venir. Ne manquez surtout pas le rayon des accessoires pour la décoration des gâteaux, il est tout simplement incroyable !

Williams-Sonoma

1175 Madison Ave., angle 86th St. (B1)
M° 86th St.
☎ (212) 289 68 32
www.williams-sonoma.com
Lun.-mar. et jeu.-ven. 10h-19h, mer. 10h-20h, sam. 10h-18h, dim. 11h-17h.

Créé par la même firme qui gère Pottery Barn, Williams-Sonoma est spécialisé dans tout ce qui concerne de près ou de loin la cuisine et l'art de la table (ustensiles, objets décoratifs, produits d'épicerie fine…). Les fins gourmets y trouveront leur bonheur pour préparer et présenter avec raffinement leurs petits plats.

Pottery Barn

117 E 59th St., entre Park Ave. et Lexington Ave. (B2)
M° Broadway-Lafayette St.
☎ (917) 369 00 50
www.potterybarn.com
Lun.-sam. 10h-20h, dim. 11h-19h.

La concurrence est rude avec Crate & Barrel, d'autant plus que leurs gammes de produits se ressemblent singulièrement : une sélection d'objets et d'ustensiles de cuisine modernes (tasses, bols, plats, verres, couverts) à des prix très corrects (Pottery Barn est un poil plus cher). Vous trouverez aussi des objets pour décorer votre intérieur, comme des miroirs, des chandeliers, des fleurs séchées et des luminaires, à partir de $100.

Fishs Eddy

889 Broadway, angle 19th St. (B4)
M° 14th St.-Union Square
☎ (212) 420 90 20
www.fishseddy.com
Lun. 10h-21h, mar.-sam. 9h-21h, dim. 10h-20h.

Un décor de vieille ferme de Nouvelle-Angleterre donne à Fishs Eddy une atmosphère de campagne au cœur de Manhattan. Sur fond de musique des années 1940 et 1950, des piles d'assiettes au décor rétro vous accueillent : le magasin est spécialisé dans le rachat de la vaisselle d'hôtels, clubs, collèges. Des modèles exclusifs, mais aussi très rigolos. Le stock est constamment renouvelé. Une bonne adresse pour donner une touche US originale à votre table.

The Container Store

629 6th Ave., entre 18th et 19th St. (B4)
M° 14th St.
☎ (212) 366 42 00
www.containerstore.com
Lun.-sam. 9h-21h, dim. 10h-20h.

Un immense magasin consacré au rangement et à l'organisation de votre maison ! Vous découvrirez une multitude d'idées et d'astuces pour profiter au maximum de votre espace. Le rayon dédié à la cuisine regorge d'objets fonctionnels et bon marché. Si vous êtes à la recherche de pots ou de boîtes pour conserver les aliments, cette adresse est faite pour vous. En verre ou en plastique, il y en a de toutes les tailles et de toutes les couleurs.

Simon Pearce

500 Park Ave., entrée 59th St. (B2)
M° Lexington Ave.-59th St.
☎ (212) 421 88 01
www.simonpearce.com
Lun.-sam. 10h-18h, dim. 12h-17h.

De très beaux objets pour la maison, des services de table céladon, de la verrerie et une magnifique collection de vases. Un endroit idéal pour déposer sa liste de mariage. Dommage que ce soit si loin de la France…

Crate & Barrel

611 Broadway, angle Houston St. (H7)
M° Broadway-Lafayette St.
☎ (212) 780 00 04
www.crateandbarrel.com
Lun.-sam. 10h-21h, dim. 11h-19h.

Dans cet immense magasin, vous trouverez du linge de maison, de la vaisselle, des ustensiles de cuisine aux tons neutres et dans des matières traditionnelles. Idéal pour ceux et celles qui sont

à la recherche d'une décoration fraîche et naturelle. Vous trouverez également une très belle collection de meubles en bois massif et de canapés aux allures de campagne ensoleillée.

John Derian Company

6-10 E 2nd St., entre Bowery et 2nd Ave. (I7)
M° Lower East Side-2nd Ave.
☎ (212) 677 39 17
www.johnderian.com
Mar.-dim. 12h-19h.

Dans un cadre plutôt rustique, cette boutique propose des objets de luxe (et coûteux) destinés aux puristes. John Derian utilise de vieilles images représentant des fruits, des animaux ou des fleurs, qu'il découpe et colle pour créer des objets contemporains. Assiettes, plateaux, pieds de lampe ou cache-pots, la collection est vaste. Vous trouverez également les céramiques fabriquées à la main de l'atelier Astier de Villatte. Une pure merveille !

The Upper Rust

445 E 9th St., entre 1st Ave. et Ave. A (I6)
M° 1st Ave.
☎ (212) 533 39 53
Lun.-sam. 12h-20h, dim. 12h-19h.

Il faut pousser la porte de cette jolie boutique d'East Village qui regorge d'objets retro *so* chic !

Passionné d'antiquités et de curiosités, Kevin Bockrath a le flair pour dénicher des pièces du meilleur goût : services en porcelaine délicats, miroirs peints, jouets oubliés, porte-manteaux, boîtes en fer illustrées, cadres photo, lampes industrielles, bijoux… le tout en excellent état. Idée déco originale, les vieilles punitions d'écoliers sous cadre.

Pearl River Mart

477 Broadway (H7)
M° Canal St.
☎ (212) 431 47 70
www.pearlriver.com
T. l. j. 10h-19h20.

Pearl River Mart est une mine d'or chinoise ! Sur deux étages, ce grand magasin propose vêtements, tissus, accessoires, vaisselle, linge de maison, bonsaïs, cosmétiques, thés et remèdes à base de plantes. Les lampes de papier, les vestes et pyjamas traditionnels sont magnifiques. Beaucoup de produits sont bon marché, comme la très belle gamme de carnets et cahiers (entre 5 et $10).

Thrift & New Shop

602 9th Ave., angle 43rd St. (A3)
M° 42nd St.
☎ (212) 265 30 87
Lun.-ven. 8h30-19h, sam. 10h-19h.

Difficile d'imaginer que tant de choses tiennent dans cette petite boutique. Un bric-à-brac d'objets des années 1930 aux années 1970, parfois beaux, parfois kitsch : vases, pichets à eau, tableaux, mappemondes, une quantité d'objets en porcelaine… En plus, le propriétaire est sympa.

Artemide

46 Greene St., entre Grand St. et Broome St. (H7)
M° Prince St.
☎ (212) 925 15 88
www.artemide.com
Lun.-ven. 10h-18h, sam. 11h-18h.

Cette boutique-showroom consacre tout son espace aux luminaires réalisés par une équipe de créateurs associés. Les modèles sont assez étonnants et plutôt originaux : les formes sont épurées et prennent des allures futuristes tout en gardant quelques touches classiques. De très beaux objets dont les prix varient entre 200 et $1 000.

ABC Carpet & Home

881-888 Broadway, angle E 19th St. (B4)
M° 14th St.-Union Square
☎ (212) 473 30 00
www.abchome.com
Lun.-sam. 10h-19h (20h jeu.), dim. 11h-18h30.

Tout, mais alors vraiment tout pour la maison ! Installé sur six étages, ABC Carpet & Home pourrait être un musée de la décoration d'intérieur avec des objets venus du monde entier. Linge de maison, tissus et coussins sont absolument magnifiques (3e étage). Mais le clou du spectacle reste le rez-de-chaussée, sorte de palais des *Mille et Une Nuits* agencé comme une brocante et où l'on trouve une multitude d'accessoires aux styles variés. Au fond du magasin, plusieurs restaurants vous permettront de faire une pause. Conran Shop au sous-sol.

Leekan Designs

4 Rivington St. (I7)
M° Bowery
☎ (212) 226 72 26
www.leekan.com
Mar.-ven. 10h-18h, sam. 12h-18h, dim. 13h-18h.

Cette boutique spécialisée dans les objets asiatiques mérite qu'on s'y arrête. C'est une véritable île aux trésors dans laquelle vous trouverez des bijoux, des turquoises en vrac pour $2 (pour fabriquer vous-même bracelets, boucles d'oreilles, etc.), des perles, des masques tribaux à partir de $150, des batiks et des ciseaux japonais de tailles variées.

MacKenzie-Childs

14 W 57th St., entre 5th et 6th Ave. (B2)
M° 57th St.
☎ (212) 570 60 50
www.mackenzie-childs.com
Lun.-mer. et ven.-sam. 10h-18h, jeu. 10h-19h, dim. 11h-17h.

Imaginez une maison de poupée victorienne qui aurait pris des allures d'*Alice au pays*

des merveilles. Dès que vous entrez dans ce magasin, vous pénétrez dans un autre monde ! Vaisselle, services à thé, vases, carreaux et cadres de faïence, tout est peint à la main. Des meubles, des accessoires féeriques au 1er étage, que vous gagnerez par les ascenseurs qui constituent l'une des curiosités de la boutique !

Obscura

Si vous recherchez des pièces uniques, atypiques, voire franchement décalées, vous trouverez forcément votre bonheur dans ce cabinet de curiosités : taxidermie vintage avec ces oiseaux colorés sous cloche, vieux matériel scientifique et médical (fioles à remède), photos de nu des années 1930, costumes du XIXe s., poupées anciennes, objets funéraires à vous donner la chair de poule et squelettes authentiques… assurément insolite !

207 Ave. A, entre 12th et 13th St. (I6) – M° 1st Ave.
☎ (212) 505 92 51 – Lun.-sam. 12h-20h, dim. 12h-19h.

Jouets et loisirs

Il n'y a pas qu'en matière de mode que New York soigne les plus jeunes. La ville regorge de magasins de jouets et de divertissements en tout genre. L'exubérance est au rendez-vous, et tout est mis en œuvre pour charmer vos enfants ! Et pour cela, les New-Yorkais sont prêts à tout...

Toys'R'Us

1514 Broadway, angle 44th St. (B3)
M° Times Square-42nd St.
☎ (646) 366 88 00
www.toysrustimessquare.com
Dim.-jeu. 10h-22h,
ven.-sam. 10h-23h.

Cette chaîne est certes implantée en Europe, mais rien ne vaut une visite de ce gigantesque magasin situé en plein cœur de Times Square. Que ce soit devant la grande roue composée de quatorze voitures à l'effigie de jouets et personnages favoris des enfants, la maison de Barbie taille réelle ou le dinosaure de *Jurassic Park* haut de 6 m et long de plus de 10 m qui rugit dès qu'on l'approche, vous serez sûrement admiratif ! Pour les nouveau-nés, sachez qu'il existe un Babies'R'Us (24-30 Union Square East, B4, M° Union Square, ☎ (212) 798 99 05, lun.-ven. 8h-21h30, sam. 8h-22h, dim. 9h-20h).

FAO Schwarz

767 5th Ave., angle 58th St. (B2)
M° 5th Ave.-59th St.
☎ (212) 644 94 00
www.fao.com
Lun.-jeu. 10h-19h,
ven.-dim. 10h-20h.

Le plus connu des magasins de jouets, le plus beau selon certains, bref, une institution, et cela depuis 1862 ! Le choix est invraisemblable et dépasse même les rêves d'enfants les plus fous : animaux, poupées, miniatures, voitures, jeux de sociétés, etc. L'atelier de confection de Muppets réalise pour $100 une poupée à votre effigie. Ne manquez pas le piano géant, immortalisé par Tom Hanks dans le film *Big*, ainsi que la partie réservée aux tout-petits. Prêt à retomber en enfance ?

Forbidden Planet

840 Broadway, angle 13th St. (H6)
M° 14th St.-Union Square
☎ (212) 473 15 76
www.fpnyc.com
Dim.-mar. 10h-22h,
mer. 9h-minuit,
jeu.-sam. 10h-minuit.

Vous entrez ici dans le temple de la bande dessinée ! *Spiderman*, *X-men*... vous trouverez toutes les BD cultes, mais bien d'autres encore (pas forcément connues en France) ainsi que des mangas, des livres et surtout des figurines et des tee-shirts à l'effigie de vos héros préférés. De quoi ravir le vrai collectionneur qui se cache en vous !

Tiny Doll House

314 E 78th St., entre 2nd et 1st Ave. (B1)
M° 77th St.
☎ (212) 744 37 19
Lun.-jeu. 11h-17h,
ven.-sam. 11h-16h.

Un petit magasin spécialiste des maisons de poupées miniatures et de tous les objets qui les accompagnent : meubles et accessoires tels que raquettes de tennis, vêtements, livres, matériel de couture... Vous ne serez pas en reste ! Vous trouverez même toutes les installations électriques nécessaires (en miniature bien sûr !) à l'éclairage de votre mini maison. Un must absolu pour les amateurs ! Cela dit, tout ce qui est petit est mignon... et cher, alors ne soyez pas surpris en arrivant à la caisse...

Kidding Around

60 W 15th St., entre 6th et 5th Ave. (H6)
M° 14th St. ou 6th Ave.
☎ (212) 645 63 37
www.kiddingaround.us
Lun.-sam. 10h-19h, dim. 11h-18h.

Hormis le mauvais agencement du magasin (il est parfois dur de s'y retrouver !), Kidding Around est une véritable mine d'or... Vous trouverez de tout : jouets (depuis le plus jeune âge jusqu'à 12 ans), vêtements, farces et attrapes, peluches, jeux de société, gadgets... Les petites filles se régaleront au coin déguisement avec un grand choix de couronnes et autres accessoires pour cheveux !

Kidrobot

118 Prince St., entre Wooster St. et Greene St. (H7)
M° Prince St.
☎ (212) 966 66 88
www.kidrobot.com
T. l. j. 11h-20h.

Ce magasin n'attire pas que les enfants, loin de là ! Kidrobot est le paradis des amateurs de robots, sculptures et figurines venus essentiellement d'Asie, créés par tous les plus grands noms de cette nouvelle tendance mondiale : le « jouet urbain » (*urban toy*). Venez découvrir les *gloomy bear* aux longues griffes dessinées par Mori Chack... ainsi que des livres, des vêtements et des figurines à décorer soi-même.

Image, son et informatique

New York est l'endroit rêvé pour s'équiper en matériel électronique : lecteurs MP3, appareils photo, caméras digitales ou ordinateurs. Le choix ne manque pas et les meilleures marques sont représentées à des prix souvent attractifs (pour en savoir plus, voir p. 119). Renseignez-vous quand même sur le prix que vous paieriez en France pour un produit équivalent.

Brookstone

1230 Ave. of the Americas, entre 48th et 49th St., Suite G (B3)
M° 47th-50th St.-Rockefeller Center
☎ (212) 664 17 15
www.brookstone.com
Lun.-sam. 9h-19h, dim. 10h-18h.
Ce magasin propose beaucoup de gadgets plus ou moins incroyables en matière d'électronique, dont vous n'auriez même pas imaginé l'existence : une brosse électrique pour nettoyer votre barbecue, un oreiller gonflable muni d'une radio afin d'écouter la musique au bord de la piscine... Il y en a pour tous les goûts et toutes les envies ! Une bonne adresse pour trouver un cadeau.

Apple Store

• 72 Greene St., entre Spring St. et Broome St. (H7)
M° Prince St.
☎ (212) 226 31 26
www.apple.com
Lun.-sam. 9h-21h, dim. 9h-19h

• 767 5th Ave., angle 58th St. (B2)
M° 5th Ave.-59th St.
☎ (212) 336 14 40
T. l. j. 24h/24.

Apple a vu grand avec ces deux magasins entièrement

dédiés à la marque. Dans le premier, outre une large sélection de produits que vous pourrez tester en magasin, des techniciens vous attendent au *Genius Bar* pour répondre à vos questions. Et dans l'auditorium voisin, vous pourrez suivre en direct des cours d'utilisation de logiciels. Rendez-vous ensuite à l'Apple Store de la 5e Avenue. Vous serez accueilli par la pomme blanche qui jaillit d'un magnifique espace vitré. Aménagé en sous-sol, le magasin propose entre autres une belle gamme d'iPod, iPhone, iPad et MacBook.

Sony Style

550 Madison Ave., entre 55th et 56th St. (B2)
M° 5th Ave.-53rd St.
☎ (212) 833 88 00
www.sonystyle.com
Lun.-sam. 10h-19h, dim. 11h-18h.

Installé dans le Sony Building, ce magasin propose tous les produits de la marque, comme les PlayStation, les ordinateurs Vaio ou la gamme complète de téléviseurs et home cinéma (sans doute la plus belle partie du magasin !). Dans la cour intérieure,

un espace café vous ouvre ses portes, ainsi qu'un petit musée gratuit consacré à la technologie Sony et au divertissement (SonyWonder Technology Lab, ☎ (212) 833 81 00, mar.-sam. 9h30-17h30).

J&R Music & Computer World

23 Park Row, entre Beekman St. et Ann St. (B6)
M° Brooklyn Bridge-City Hall
☎ (212) 238 90 00
www.jr.com
Lun.-mer. 10h-19h, jeu.-ven. 10h-19h30, sam.-dim. 11h-19h.

Juste derrière City Hall, J&R est un temple de l'électronique et de l'informatique. Vous trouverez tout le matériel audio-vidéo dont vous rêvez (lecteurs MP3, appareils photo numériques...) à prix réduits. Le rayon informatique, qui se trouve dans un magasin juste à côté, couvre cinq étages dont l'un est réservé à l'univers Apple.

B&H Photo

420 9th Ave., entre 33rd et 34th St. (A3)
M° 34th St.-Penn Station
☎ (212) 444 66 15
www.bhphotovideo.com
Lun.-jeu. 9h-19h, ven. 9h-14h, dim. 10h-18h.

B&H est très populaire auprès des professionnels de photo, son et vidéo. Les prix sont un peu plus élevés que chez J&R, mais le choix est plus pointu et plus important. Faites attention aux horaires, car le magasin est fermé pour les célébrations de fêtes juives ; et armez-vous de patience, car l'attente est parfois longue.

Best Buy

60 W 23rd St., angle 6th Ave. (B4)
M° 23rd St. (lignes F, V)
☎ (212) 366 13 73
www.bestbuy.com
Lun.-sam. 10h-21h, dim. 11h-19h.

Un supermarché de l'électronique et de l'informatique, toutes marques confondues, qui pratique des prix extrêmement compétitifs. Le magasin est bien agencé et vous permet d'aller à l'essentiel. Également un grand choix de jeux vidéo et quelques rayons consacrés aux CD et DVD. Une bonne adresse pour les petits accessoires comme les câbles vidéo ou les casques.

Courant, clavier et passage en douane

Aux États-Unis, le courant utilisé est de 110 V. Vous aurez donc besoin d'un transformateur. Quant aux prises, elles sont différentes des nôtres (fiches plates) et nécessitent un adaptateur que vous trouverez dans des quincailleries ou à l'aéroport. Ce sont les deux obstacles qui limitent l'intérêt de rapporter du matériel électronique. Dans bien des cas, les prix intéressants vous feront oublier rapidement ces petits inconvénients, aisément surmontables, mais ne perdez pas de vue que vous aurez un passage en douane (voir p. 144). Attention : tous les ordinateurs sont fournis avec un clavier et un système américains. Vous pourrez obtenir un équivalent européen pour votre clavier, mais votre système, lui, sera toujours en anglais.

Disques et musique

Même s'ils sont de moins en moins nombreux, du fait de la chute de l'industrie du disque, les petits disquaires spécialisés en vinyles ou disques d'occasion résistent ! Vous les trouverez surtout dans le bas de la ville (East et West Village). Ils sont parfois spécialisés dans un genre et possèdent des disques en import difficilement trouvables ailleurs. Les magasins d'instruments de musique (principalement du côté de Times Square) proposent des prix très intéressants.

Academy Records and CD's

12 W 18th St.,entre 5th et 6th Ave. (B4)
M° 14th St. ou 6th Ave.
☎ (212) 242 30 00
www.academy-records.com
Dim.-mer. 11h-19h, jeu.-sam. 11h-20h.

La musique classique et l'opéra sont à l'honneur dans ce magasin situé au cœur de Chelsea. La boutique propose aussi un rayon jazz intéressant et beaucoup de disques en import qui raviront les plus curieux. Belle sélection de livres dans des éditions anciennes et quelques partitions. Un havre de paix.

Colony Music Center

1619 Broadway, angle 49th St. (A3)
M° 49th St.
☎ (212) 266 20 50
www.colonymusic.com
T. l. j. 9h-1h.

Vous souhaitez reprendre les airs de la dernière comédie musicale à la mode de Broadway ? Filez chez Colony, le royaume des partitions de musique depuis 1948. D'Elvis Presley à Lady Gaga en passant par l'intégrale des Beatles par albums et des raretés jazz, l'offre est ahurissante (compter de 15 à $30). Les vitrines un brin poussiéreuses renferment produits dérivés et objets de collection où l'on peut faire de vraies trouvailles. Mais aussi : CD, vinyles, DVD, posters.

Sam Ash Music

155-159 W 48th St., entre 7th et 6th Ave. (B3)
M° 49th St.
☎ (212) 719 26 25 (guitares et technologie)
☎ (212) 719 26 61 (batteries/percussions)
☎ (212) 398 60 52 (cuivres)
www.samash.com
Lun.-sam. 10h-20h, dim. 12h-18h.

Cette chaîne de magasins spécialisée dans les instruments de musique s'est installée à Manhattan en 1970. Divisée en quatre départements, elle propose à la fois des instruments neufs ou d'occasion, des accessoires, des partitions, des amplis ainsi qu'un grand choix de matériel lié au son, comme des tables de mixage ou des synthés. Beaucoup d'articles sont réputés pour être moins chers aux États-Unis, alors profitez-en...

J&R Music World

23 Park Row, entre Beekman St. et Ann St. (B6)
M° Brooklyn Bridge-City Hall
☎ (212) 238 90 00
www.jr.com
Lun.-mer. 10h-19h, jeu.-ven. 10h-19h30, sam.-dim. 11h-19h.

Un lieu indispensable si vous souhaitez acheter des disques. Les vendeurs sont très compétents, et les prix souvent imbattables. Les nouveautés coûtent en général de 2 à $4 de moins qu'ailleurs, et de nombreux CD sont régulièrement soldés à moins de $7. Enfin, sachez que les rayons de jazz et de musique du monde sont très bien fournis !

A-One Record Shop

439 E 6th St., entre 1st Ave. et Ave. A (I6)
M° Lower East Side-2nd Ave.
☎ (212) 473 28 70
T. l. j. 13h-21h.

Une petite boutique bien connue des fans de vinyles ! Et ce n'est pas un hasard, car il n'y a que ça : tous les styles et toutes les époques. Ne cherchez pas, vous ne trouverez aucun CD. Dans le fond du magasin, un vendeur reste près de ses platines afin d'offrir une ambiance *groovy* à ses clients. Un moment fort agréable ! Comptez entre 10 et $20 le vinyle.

Generation Records

210 Thompson St., entre Bleecker St. et 3rd St. (H7)
M° W 4th St.
☎ (212) 254 11 00
www.generationrecords.com
Dim.-jeu. 11h-22h, ven.-sam. 11h-23h.

Ce magasin rassemble toutes sortes de musiques alternatives rock en CD (de 11 à $15) ou en vinyles, avec notamment d'excellentes sélections de musique *hardcore* et les meilleurs imports de tout Greenwich Village (qui restent quasiment introuvables ailleurs).

Jazz Record Center

C'est le meilleur magasin de disques de jazz de New York. Non seulement pour les productions actuelles, mais aussi pour les vieux albums et les enregistrements de collection des grands maîtres. Expédition partout dans le monde.

236 W 26th St., entre 7th et 8th Ave. (A4), 8e étage, pièce 804
M° 23rd St. – ☎ (212) 675 44 80
www.jazzrecordcenter.com – Lun.-sam. 10h-18h.

Bleecker Street Records

239 Bleecker St., angle 6th Ave. (G7)
M° Houston St.
☎ (212) 255 78 99
Dim.-jeu. 11h-22h, ven.-sam. 11h-23h.

Pour les amateurs de disques d'époque, c'est un des disquaires les plus pointus du Village, en particulier pour le jazz, mais aussi le blues, le rock et le gospel. Une belle collection de vinyles et de CD à des prix qui ne sont pas forcément plus intéressants qu'en France.

Ludlow Guitars

172 Ludlow St., entre Houston St. et Stanton St. (I7)
M° Lower East Side-2nd Ave. ou Delancey St.
☎ (212) 353 17 75
www.ludlowguitars.com
Lun.-ven. 12h-20h, sam.-dim. 12h-19h.

Le rendez-vous des passionnés de guitares ! Électriques, acoustiques, neuves ou d'occasion, le choix est vaste. Mais la particularité de ce magasin, ou plutôt ce qui fait venir les accros, ce sont les guitares vintage et les amplis d'époque. Si vous cherchez une Fender Telecaster Deluxe de 1973 ou une Gibson SG Melody de 1967, vous êtes à la bonne adresse.

Vous êtes ici à l'épicentre planétaire de la consommation, et vous n'en repartirez certainement pas les mains vides. Voici quelques idées de produits originaux, le plus souvent d'un excellent rapport qualité-prix et qui ont le mérite d'être introuvables, ou plus chers chez nous.

Perlimpinpin et parapharmacie

Hormone naturelle transformée destinée à l'origine à prévenir les effets du décalage horaire, la mélatonine (*melatonin*), ce médicament superstar, fait désormais figure de pilule antivieillissement. Vos amis branchés vous demanderont probablement d'en rapporter. C'est un exemple, parmi d'autres, de ces très nombreux produits pharmaceutiques en vente libre. Les cosmétiques sont souvent bien moins chers qu'en France, comme les prestigieuses crèmes de soins Estée Lauder ou Revlon (que vous trouverez chez Duane Reade, une grande chaîne de drugstores). Enfin, faites un tour dans une boutique d'esthéticienne : faux cils et faux ongles aux formes et aux couleurs incroyables vous donneront un look US inimitable, le temps d'une soirée.

Soyez nature !

Depuis quelque temps, le fantasme du retour à la nature taraude les citadins américains. Les aliments diététiques, végétariens et macrobiotiques ont de nombreux adeptes, et les magasins naturels dits *health stores* se multiplient. On y trouve des aliments, mais aussi des produits de beauté, des parfums, des accessoires pour la maison et de la papeterie. Tous ces produits sont 100 % naturels ou recyclés. C'est le cas de la chaîne de magasins Whole Body (voir p. 107), qui se déploie de plus en plus à New York. Profitez-en pour faire des cadeaux à vos amis écolos : le choix est très étendu et les prix sont bien plus abordables que chez nous.

Le linge de maison

Utilisé seul ou en mélange avec une autre fibre, le coton américain est réputé. Il ne rétrécit pas au lavage et sa tenue est parfaite. Serviettes de bain, peignoirs, draps, housses de couette, linge de table : vous trouverez, dans les grands magasins en particulier, des affaires exceptionnelles. Sachez néanmoins que, pour une qualité irréprochable, les prix sont parfois élevés !

Reproductions et livres d'art

Beaucoup de librairies new-yorkaises sont spécialisées dans les livres d'art et proposent

même des livres soldés ou d'occasion de très bon niveau. Les musées américains, qui éditent également de très beaux catalogues et livres d'art, jouent à fond la carte de l'édition de produits dérivés, et leurs boutiques sont souvent très bien fournies, particulièrement celle du MoMA (voir p. 35 et 57) pour les livres et celle du Metropolitan (voir p. 43 et 63) pour les reproductions. Vous y trouverez facilement des posters, des calendriers, du papier à lettres, mais aussi de la vaisselle, du linge, des bijoux, des tee-shirts ou des objets pour la maison. Effet garanti ! Certaines boutiques ont même un service d'expédition, ce qui vous permet de repartir moins chargé.

À vous de jouer !

New York est une mine d'or pour les amateurs de gadgets, qu'ils soient utiles (grille-pain programmable avec voix synthétisée), futiles, farfelus ou simplement décoratifs. L'électronique intervient souvent dans les gadgets les plus sophistiqués et les plus spectaculaires. Les magasins spécialisés sont de véritables labyrinthes, n'hésitez pas à vous y perdre.

Bandes dessinées et figurines de collection

Lancés par John Stanley et Jack Kirby, les *comics* relatent sans fin les aventures de super-héros comme Batman ou Spiderman, et sont la première source de collection aux États-Unis. Conçues au début pour les enfants, ces BD ont été rapidement détournées par un lectorat plus large, et de nouveaux héros sont apparus, au visage plus humain. New York offre quelques excellents magasins où l'on peut dénicher des petites merveilles typiquement américaines, mais il faut savoir y mettre le prix ! Deux excellentes adresses : Forbidden Planet pour les BD et Kidrobot pour les figurines venues du Japon (voir p. 113).

Les grands magasins, une véritable institution

Les grands magasins new-yorkais sont à l'image du mythe américain. Beaucoup ont commencé comme petits magasins de quartier, pas très chic, avant de connaître la prospérité et de devenir des symboles de l'élégance. Ce sont aussi de véritables labyrinthes : prenez votre temps si vous avez décidé de parcourir leurs rayons !

Vitrine du bon goût américain

Tout le monde vous le dira : si vous voulez apprécier le chic new-yorkais, classique ou moderne, il faut faire un tour dans un grand magasin. Les vitrines sont fabuleuses, et les stands présentent les articles de façon remarquable, en particulier Bloomingdale's (voir encadré page suivante et p. 93). Créateurs ou stylistes en vue sont souvent sollicités par les grands magasins pour éditer chez eux des lignes de produits originaux (des vêtements aux articles ménagers en passant par le linge de maison). Dans ce domaine, la palme de l'élégance revient incontestablement au magasin Saks Fifth Avenue (voir encadré page suivante).

Diversité et qualité imbattables

De l'attaché-case au service de table en passant par les lunettes de soleil, vous trouverez de tout dans les grands magasins new-yorkais. Chacun a sa spécialité : Barneys (voir encadré page suivante et p. 98) est devenu la vitrine de la mode branchée, tandis que Bloomingdale's est réputé pour ses articles de maison et son épicerie fine. Tous ces grands magasins proposent des produits de qualité, ce qui justifie parfois leur coût élevé.

Prix élevés et soldes hystériques

Les prix sont plus élevés qu'ailleurs, mais ils demeurent abordables pour les Européens, parfois favorisés par le taux de change. Les New-Yorkais, eux, attendent les soldes, très intéressants dans le prêt-à-porter ou le domaine

de la maison et de la décoration. Une ambiance électrique : mieux vaut faire un repérage préalable pour être sûr de trouver l'article de son choix. Attention : les articles soldés ne sont pas toujours repris ou échangés (renseignez-vous au moment de payer). Les soldes ont lieu en début d'année, mais aussi fin juin-début juillet. Un conseil : soyez là dès l'ouverture.

Macy's, le plus grand magasin du monde

Le plus vaste magasin des États-Unis, selon les on-dit, pourrait bien être le plus grand du monde... Il occupe un *block*, c'est-à-dire un pâté de maisons, tout entier. L'étoile rouge, symbole du magasin, rappelle le tatouage que portait son fondateur, R. H. Macy, capitaine de baleinière reconverti dans les affaires. Le rayon de produits de beauté est célébrissime. On peut s'y faire pomponner gratuitement et même obtenir des échantillons. Le grand magasin organise chaque année le feu d'artifice du 4 Juillet (fête nationale)

et la parade de Thanksgiving qui descend Broadway le 4e jeudi de novembre (voir p. 5).

Carnet d'adresses

- **Barneys**
660 Madison Ave., angle 61st St. (B2)
M° 5th Ave.-59th St.
☎ (212) 826 89 00
(voir p. 98).
- **Henri Bendel**
712 5th Ave., entre 55th et 56th St. (B2)
M° 5th Ave.-53rd St.
☎ (800) 423 63 35
(voir p. 93).
- **Bergdorf Goodman**
754 5th Ave., angle 58th St. (B2)
M° 5th Ave.-59th St.
☎ (800) 558 18 55
www.bergdorfgoodman.com
Lun.-ven. 10h-20h, sam. 10h-19h, dim. 12h-18h.
- **Bloomingdale's**
1000 3rd Ave., entre 59th et 60th St. (B2)
M° 59th St.-Lexington Ave.
☎ (212) 705 20 00
(voir p. 93).
- **Lord & Taylor**
424 5th Ave.,entre 38th et 39th St. (B3)
M° 5th Ave.
☎ (212) 391 33 44
www.lordandtaylor.com
Lun.-sam. 10h-21h, dim. 11h-19h.
- **Macy's**
151 W 34th St., entre Broadway et 7th Ave. (B3)
M° 34th St.-Herald Sq.
☎ (212) 695 44 00
www.macys.com
Lun.-sam. 10h-21h30, dim. 11h-20h30.
- **Saks Fifth Avenue**
611 5th Ave., entre 49th et 50th St. (B3)
M° 5th Ave.-53rd St.
☎ (212) 753 40 00
www.saksfifthavenue.com
Lun.-sam. 10h-20h, dim. 11h-19h.

Sportswear et culture du corps

Le sportswear, prêt-à-porter de sport, est le style vestimentaire le plus populaire. Confortables, solides, faciles d'entretien, ses éléments se combinent en laissant à chacun le soin de composer son propre look. Un marché porteur pour les fabricants, qui essaient d'imposer leur marque.

La basket : un accessoire indispensable

Certaines boutiques sont spécialisées dans ces chaussures, indissociables du look streetwear et tellement à la mode qu'il n'est pas rare de les voir portées avec costume ou jupe de ville. Niketown (voir p. 105) possède un choix très étendu. Sur Broadway, entre 8th St. et Broome St., vous croiserez de nombreux magasins vendant des baskets. Les prix sont toujours à peu près les mêmes d'une boutique à l'autre.

Articles de sport

Aux États-Unis, le sport occupe une place importante dans la vie quotidienne. Il est porté par le culte du corps jeune et en bonne santé. On pratique la pelote basque dans East Harlem, on fait ses exercices de tai-chi dans Central Park, on joue au basket en pleine rue, on fait son jogging un peu partout. Les magasins de sport ressemblent souvent à de gigantesques grandes surfaces qui valent le détour, comme Paragon Sporting Goods Company (voir p. 104). On y trouve des articles très pratiques ou très en vogue comme les Rollerblade, mais aussi beaucoup de gadgets invraisemblables : la poussette à attacher à votre ceinture pour faire un jogging avec votre bébé (dûment casqué) ou la montre qui vous donne le rythme cardiaque et les calories dépensées, en même temps que l'heure de Tokyo !

À vos marques !

Les New-Yorkais classiques préfèrent une étiquette ou un logo discrets. Les autres, transformés en hommes-sandwichs, arborent en gros la marque de leurs vêtements. Les articles griffés sont plus chers, mais la qualité est souvent bien meilleure. Alors mieux vaut craquer pour des sweats ou tee-shirts aux couleurs de Nike, Reebok ou Champion : vous les garderez beaucoup plus longtemps. Vous les paierez toujours moins cher qu'en France, et vous pourrez vous pavaner dans des modèles introuvables en Europe. Évitez absolument d'acheter un article de contrefaçon, vous encourageriez un commerce illicite et vous pourriez être poursuivi dès votre retour en France.

Produits pour sportifs

Peu réputés pour l'équilibre de leurs repas, les Américains sont pourtant très attentifs à leur forme. Les cocktails de vitamines (jusqu'à une dizaine par personne et par jour) accompagnent couramment le petit déjeuner. Des chaînes de magasins, comme The Vitamin Shoppe, GNC ou Jamba Juice, leur sont même entièrement consacrées. Les accros de la muscu ou des régimes hypocaloriques ne lésineront pas sur les protéines, et les plus narcissiques n'oublieront pas les produits pour préparer ou entretenir leur bronzage, avec ou sans soleil.

De Nîmes ou de Gênes ?

Du jean Western jusqu'aux classiques « 501 » ou aux très actuels *baggies* (jeans extra-larges « 560 »), la toile bleu indigo est devenue l'emblème planétaire du sportswear. En 1850, à San Francisco, Levi Strauss a l'idée de fabriquer un pantalon avec de la toile de Nîmes (denim) en provenance du port italien de Gênes (déformé en « djinn »). Du monde du travail à celui de la mode en passant par les loisirs, le jean s'est progressivement imposé dans toutes les garde-robes. Trois grandes marques : Levi Strauss, Lee et Wrangler, ont assis la renommée de cette toile rêche mais très résistante.

Voir p. 104-105 pour une sélection de boutiques spécialisées dans les jeans.

Sortir
mode d'emploi

On sort où ?

Si vous voulez voir une comédie musicale ou une pièce de théâtre, rendez-vous à **Times Square** (voir p. 135). Pour danser toute la nuit, allez faire un tour dans l'**East Village** : les salles du Webster Hall (voir p. 130) vous combleront. Le **West Village** est la Mecque du jazz avec deux des clubs les plus célèbres, le Village Vanguard et le Blue Note (voir p. 133), mais aussi des bars où se produisent chaque soir d'excellentes formations, comme le Zinc Bar (voir p. 128). Pour les musiques du monde, direction **NoLIta** et son célèbre SOB's (voir p. 133). Pour écouter concerts de musique classique et opéras, dirigez-vous vers les salles du **Lincoln Center** (voir p. 37). Vous assisterez aussi à des spectacles de danse, répartis sur deux saisons, d'octobre à décembre et de mars à juin. Pour en savoir plus sur l'univers de la musique et du spectacle new-yorkais, voir p. 136 et 138.

Réglementation

Il faut avoir 21 ans pour être autorisé à boire de l'alcool et entrer dans certains clubs. Quelques boîtes de nuit autorisent l'accès à partir de 19 ans, mais la consommation d'alcool reste interdite. Ayez toujours une pièce d'identité sur vous pour justifier votre âge.

Réserver un spectacle

Vous pouvez acheter les billets sur place, mais attention, les guichets affichent souvent *sold out* (« complet ») des mois à l'avance ! Pour les spectacles ou concerts auxquels vous tenez particulièrement, mieux vaut réserver **avant votre départ** auprès d'agences telles que **TicketMaster** (☎ 1 (800) 745 30 00 – www.ticketmaster.com) ou **Ticket Central** (☎ (212) 279 42 00 – www.ticketcentral.com). Les tarifs sont très variables d'une salle à l'autre. Pour les ballets et les spectacles, comptez en moyenne entre 15 et $45 pour une place, mais les prix peuvent parfois monter jusqu'à $200 dans les grandes salles, en première catégorie.

SE REPÉRER

Nous avons indiqué pour chaque adresse Sortir sa localisation sur le plan général (B2, G8…). Pour un repérage plus facile en préparant votre week-end ou lors de vos balades, nous avons signalé sur le plan par un symbole violet toutes les adresses de ce chapitre. Le numéro en violet signale la page où elles sont décrites.

Notre Top des bars branchés

- **Beauty Bar**
  East Village – *Voir p. 127.*
- **d.b.a**
  East Village – *Voir p. 127.*
- **Pravda**
  SoHo / NoLIta – *Voir p. 128.*
- **Little Branch**
  West Village – *Voir p. 128.*
- **Hotel Delmano**
  Williamsburg – *Voir p. 130.*

Notre Top des lieux où écouter de la musique

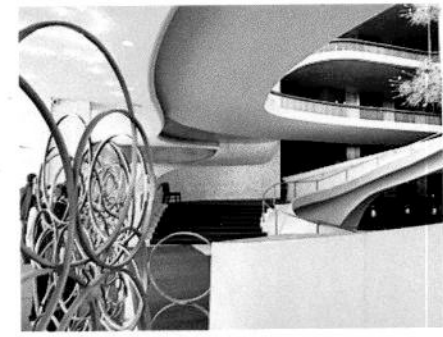

- **Lincoln Center**
  Autour du Lincoln Center – *Voir p. 37.*
- **Lenox Lounge**
  Harlem – *Voir p. 45.*
- **Bowery Ballroom**
  Lower East Side – *Voir p. 132.*
- **Joe's Pub**
  East Village – *Voir p. 132.*
- **The Knitting Factory**
  Williamsburg – *Voir p. 133.*
- **Carnegie Hall**
  Rockefeller Center – *Voir p. 134.*

Mais aussi... Les prix réduits

Les grands spectacles à la dernière minute.

Des billets à prix réduits (25 à 50 %) pour les grands spectacles et *Broadway shows* sont disponibles pour le jour même aux guichets de **TKTS** à Times Square : W 47th St., entre Broadway et 8th Ave. (A3), M° 49th St., www.tdf.org, lun. et mer.-sam. 15h-20h, mar. 14h-20h, dim. 15h-20h (pour les spectacles en soirée) ; mer. et sam. 10h-14h, dim.11h-15h (pour les spectacles en matinée). Les cartes de crédit ne sont pas acceptées, le choix est parfois limité et l'attente peut être très longue, alors arrivez au moins 1h avant l'ouverture pour être sûr d'avoir des places. Il existe également les *Twofers* (deux places pour le prix d'une) ou des coupons de réduction disponibles pour les spectacles de théâtre à l'office de tourisme (voir p. 145).

Bars, night-clubs

1 - *d.b.a.*
2 - *Beauty Bar*
3 - *The Ear Inn*
4 - *Happy Ending*

BARS

Les bars et les pubs sont nombreux à New York et font vraiment partie de la culture américaine ! Beaucoup proposent un happy hour (en général entre 17h et 19h) avec des boissons à prix réduits ou une boisson offerte pour une achetée. Attention, il faut impérativement avoir 21 ans pour entrer dans un bar, et les pièces d'identité sont sytématiquement réclamées à l'entrée (quel que soit votre âge). Pensez à l'avoir toujours sur vous !

TriBeCa
Visite 2 – p. 12

Bubble Lounge

228 W Broadway, entre N Moore St. et Franklin St. (H8)
M° Franklin St.
☎ (212) 431 34 33
www.bubblelounge.com
Lun.-jeu. 17h-2h, ven. 17h-4h, sam. 8h-4h.

Un endroit luxueux, chaleureux et intime pour les amoureux de champagne et de vin pétillant. Avec pas moins de 300 variétés différentes à la carte, vous aurez de quoi profiter pleinement de l'instant. Tous les mardis (et parfois le mercredi), un groupe *live* vient bercer vos soirées sur des airs de jazz ou de bossa-nova. Et pour agrémenter le tout, des assiettes de fromages ou de foie gras, des pâtisseries ou une dégustation de saumon fumé et de caviar. C'est assez cher ($18 la coupe), mais tellement agréable ! Attention, tenue correcte exigée à l'entrée.

Lower East Side
Visite 4 – p. 16

Happy Ending

302 Broome St., entre Elridge St. et Forsyth St. (I7)
M° Grand St., Bowery ou Delancey St.
☎ (212) 334 96 76
www.happyendinglounge.com
Mar. 22h-4h, mer.-sam. 19h-4h
Bière : $7.

Un ancien salon de massage érotique que l'on a transformé en bar ultra-branché ! Happy Ending vous accueille sur deux niveaux pour deux atmosphères bien distinctes. Côté rez-de-chaussée, une ambiance lounge chic (malgré des décibels élevés) avec bougies et banquettes de velours. Côté sous-sol, le bar a conservé les anciens murs en carrelage ainsi que les pommeaux de douche de l'ex-sauna, avec également de petits espaces privés pour un univers très décalé mais tout aussi bruyant.

East Village
Visite 5 – p. 18

Beauty Bar

231 E 14th St., entre 3rd et 2nd Ave. (H6/I6)
M° 14th St.-Union Square ou 3rd Ave.
☎ (212) 539 13 89
www.thebeautybar.com
Lun.-ven. 17h-4h, sam.-dim. 19h-4h
Bière : $17.

Un ancien salon de coiffure, comme en témoigne l'enseigne à l'extérieur. Le décor, qui date d'une trentaine d'années, est d'origine : vous prendrez un délicieux cocktail assis sous un énorme casque sèche-cheveux, tout en écoutant des morceaux de pop rétro. À partir de 22h, un DJ s'installe aux platines pour faire monter l'ambiance. Ça décoiffe !

d.b.a.

41 1st Ave., entre 3rd et 2nd St. (I7)
M° Lower East Side-2nd Ave.
☎ (212) 475 50 97
www.drinkgoodstuff.com
T. l. j. 13h-4h
Bière pression : dès $6.

Sûrement un des bars les plus emblématiques et animés de l'East Village. Surpeuplé les vendredi et samedi soirs bien que plutôt spacieux, le d.b.a. propose pas moins de 250 variétés de bières, 50 whiskys et 40 tequilas ! Le plus dur est d'arriver jusqu'au bar pour passer sa commande ! Sachez que jusqu'à 19h30, le bar propose un happy hour avec consommations à $1 seulement et que, cerise sur le gâteau, il possède à l'arrière un agréable jardin qui permet de boire son verre au soleil ou à la fraîche selon l'heure…

SoHo / NoLIta
Visite 6 – p. 20

MercBar

151 Mercer St., entre Prince St. et Houston St. (H7)
M° Prince St.
☎ (212) 966 27 27
www.mercbar.com
Dim.-jeu. 17h-2h, ven.-sam. 17h-4h
Cocktail : $12, bière : dès $7.

Un décor chaleureux tout de bois et de brique accueille une clientèle éclectique : yuppie de Wall Street, artiste de l'East Village. La musique est excellente sans être trop forte, ce qui vous permet de passer une soirée agréable dans un lieu cosy.

The Ear Inn

326 Spring St., angle Greenwich St. (G7)
M° Spring St.
☎ (212) 431 97 50
www.earinn.com
T. l. j. 12h-4h.

Installé dans une maison datant de 1817 et classée monument historique, ce charmant pub, bien qu'un peu excentré (il se trouve quasiment au niveau du fleuve), est très populaire. Une ambiance typique de pub anglais avec ses sombres boiseries et une déco un peu vieillotte, mais tellement chaleureuse ! Les boissons sont moins chères que dans la plupart des bars avoisinants (env. $5), et, dans le respect de la tradition anglaise, des amuse-bouches (poulet grillé, friands…) vous sont offerts du lundi au vendredi de 16h à 19h. Concerts le soir.

City Winery

155 Varick St., entre Spring St. et Vandam St. (G7)
M° Houston St. ou Spring St.
☎ (212) 608 05 55
www.citywinery.com
Lun.-ven. 11h-minuit, sam. 17h-minuit, dim. 10h-minuit.

Michael Dorf, le fondateur du célèbre Knitting Factory (voir p. 133), a ouvert ce gigantesque espace entièrement dédié au plaisir du vin, celui de le déguster certes, mais aussi celui de le fabriquer. Une entreprise viticole au cœur de Manhattan ! À défaut de devenir propriétaire d'un fût, allez-y pour prendre un verre (env. $10). L'atmosphère y est plutôt chic, sans être guindée, rien à voir avec le traditionnel bar à vins. Vous pourrez accompagner votre verre d'une assiette de fromages en profitant du spectacle, car le City Winery est aussi une salle de concerts !

Pravda

281 Lafayette St., angle Prince St. (H7)
M° Broadway-Lafayette St.
☎ (212) 226 49 44
www.pravdany.com
Lun.-jeu. 17h-1h, ven.-sam. 17h-3h
Martini : $13.

Ce bar-restaurant branché ressemble à un lieu de rendez-vous secret du KGB. Les inscriptions en cyrillique complètent le décor russe de ce bel espace qui sert plus de 80 marques de vodka et presque autant de Martini. Une clientèle jeune et branchée vient y déguster du saumon, des blinis et du caviar.

ñ

33 Crosby St., entre Broome St. et Grand St. (H7)
M° Spring St.
☎ (212) 219 88 56
Dim.-jeu. 17h-2h, ven.-sam. 17h-4h.

Un petit bar étroit et bruyant, à l'atmosphère vive et joyeuse comme peuvent l'être les rues de Madrid… Tapas et sangria, vous voilà au cœur de l'Espagne en plein SoHo ! Le mercredi soir, musiciens et danseurs de flamenco se faufilent parmi les clients. La fête est à son comble et les New-Yorkais en raffolent…

West Village

Visite 7 – p. 22

Little Branch

20 7th Ave. S., angle Leroy St. (G7)
M° Houston St.
☎ (212) 929 43 60
T. l. j. 19h-3h
Espèces uniquement.

L'endroit est à peine visible de la rue, juste une plaque sur la porte. Un indice cependant : la file d'attente pour accéder à l'intérieur de ce bar devenu en peu de temps ultra-tendance. Situé dans la cave, le Little Branch se veut chic, intime et romantique. Vous êtes accueilli par une hôtesse qui vous placera à une table, une formalité qui donne le ton du lieu. Ici, on ne veut pas de monde entassé au bar. Une fois assis, tel un V.I.P., vous pourrez siroter tranquillement votre cocktail !

Zinc Bar

82 W 3rd St., entre Sullivan St. et Thompson St. (H6-7)
M° W 4 St.-Washington Square
☎ (212) 477 94 62
www.zincbar.com
Dim.-jeu. 18h-2h30, ven.-sam. 18h-3h
Entrée : $15-20.

Un bar tout en longueur composé de deux salles agréables. Celle du fond est très chaleureuse avec sa déco méditerranéenne. Un groupe joue tous les soirs à partir de 22h30 (ce qui explique l'entrée payante), et la musique alterne entre jazz et rythmes brésiliens, africains et cubains. L'ambiance est étonnante, et l'endroit vite plein.

V Bar

225 Sullivan St., entre W 3rd St. et Bleecker St. (H7)
M° W 4th St.
☎ (212) 253 57 40
www.vbar.net
Lun.-jeu. 8h-2h, ven.-sam. 10h30-4h, dim. 10h-2h
Bière : env. $6.

Un petit bar de quartier qui fait office de café la journée et de bar à vins ou à bières le soir (la carte n'offre pas d'autres alcools). Peu de tables individuelles, juste une grande table de bar en forme de serpentin au milieu de la salle, fort propice aux rencontres. À la nuit tombée, les bougies viennent feutrer l'espace. Il ne vous reste plus qu'à choisir parmi la longue liste de vins venus des quatre coins du monde (France, Italie, Espagne, USA,

UN *COSMO* AU 7e CIEL

De nombreux hôtels ont transformé leur *rooftop* en bar à cocktails. Pour siroter l'incontournable boisson new-yorkaise (comptez de 8 à $15 le verre), prenez de l'altitude et profitez de la vue ! Depuis *Sex and the City*, le *cosmo* est le cocktail le plus populaire chez les New-Yorkaises, et chez les hommes, le Martini n'a pas encore été détrôné. Pourtant, les *bartenders* distillent des saveurs bien plus subtiles dans leurs shakers !

• Rare View Chelsea : 152 W 26th St. (B4), M° 28th St., ☎ (212) 807 72 73, www.rarebarandgrill.com, lun.-sam. 17h-1h, dim. 14h-minuit. Pour voir et être vu au milieu d'une clientèle fashion avec une superbe vue sur l'Empire State Building. DJ le week-end.
• Glass Bar : 127 W 28th St. (B4), M° 28th St., ☎ (212) 973 90 00, www.indigochelsea.com, lun.-sam. 17h-1h. Au 20e étage, une terrasse romantique protégée de parois de verre et Chelsea à vos pieds.
• Plunge Bar : 18 9th Ave. (G6), M° 14th St. ou 8th Ave., ☎ (212) 660 67 36, t. l. j. 11h-4h. Bar branché au 15e étage du très chic hôtel Gansevoort avec piscine et vue plongeante sur la ville et l'Hudson River.
• Bar de l'hôtel Mandarin : voir p. 85. Pour sa vue imprenable sur Central Park.

1 - Plunge Bar
2 - Little Branch
3 - Plunge Bar

Australie, Afrique du Sud...) et à vous laisser porter par la musique, toujours excellente !

Meatpacking District
Visite 8 – p. 24

Hogs & Heifers Saloon

859 Washington St., angle W 13th St. (A4)
M° 14th St.
☎ (212) 929 06 55
www.hogsandheifers.com
Lun.-ven. 11h-4h, sam. 13h-4h, dim. 14h-4h
Espèces uniquement.

Un endroit bruyant, qui vous rappellera sans nul doute les scènes de bar du film *Coyote Girls*. Rockers, *bikers*, « *Bridges and tunnels* » (banlieusards) et tous les New-Yorkais avides de faire la fête se retrouvent ici pour savourer le spectacle des serveuses dansant sur le bar ! Une collection de soutiens-gorge trône au-dessus de ce dernier, et les femmes sont cordialement invitées à ajouter le leur si elles le désirent. Une sympathique ambiance de jungle à connaître une fois dans sa vie.

Chelsea
Visite 9 – p. 26

Chelsea Brewing Company

Chelsea Piers, Pier 59
W 23rd St., angle Hudson River (A4)
M° 23rd St.
☎ (212) 336 64 40
www.chelseabrewingco.com
T. l. j. 12h-minuit
Bière : $6.

Une superbe brasserie sur les bords de l'Hudson qui fabrique sa propre bière (jusqu'à 20 sortes différentes !). L'ambiance est toujours fort agréable, et, durant les beaux jours, ce lieu offre le privilège de boire un verre sur la terrasse le long de l'eau. Parmi leurs productions, les plus populaires sont la *Checker Cab Blond Ale* et la *Sunset Red Ale*.

Madison Square / Union Square
Visite 10 – p. 28

The Raines Law Room

48 W 17th St., entre 5th et 6th Ave. (B4)
M° 6th Ave.
www.raineslawroom.com
Lun.-jeu. 17h-2h, ven. 17h-3h, sam. 17h-3h, dim. 20h-1h
Cocktail : $3, bière : dès $7.

Speakeasy, ça vous dit quelque chose ? C'est le nom que l'on donnait aux bars clandestins durant la Prohibition. Bonne nouvelle, ils refont surface et leurs cocktails sont toujours aussi bons ! The Raines Law Room est un lieu étonnant qui cache un jardin... clandestin dans lequel pousse de la menthe et du basilic. Pas de numéro de téléphone, c'est normal, une porte, sans enseigne, avec une simple sonnette.

Voir aussi ***Union Square*** *(p. 28).*

Empire State Building / Times Square
Visite 11 – p. 30

Voir ***Times Square*** *(p. 31)*

Lincoln Center
Visite 14 – p. 36

Hudson Bars

The Hudson Hotel
356 W 58th St.,
entre 8th et 9th Ave. (A2)
M° 59th St.-Columbus Circle
☎ (212) 554 62 17
Dim.-mer. 19h-2h,
jeu.-sam. 19h-3h
Cocktail : $16, bière : $7.

L'hôtel Hudson a ouvert deux bars aux ambiances totalement différentes. Le Hudson Bar, ultra-design, avec un sol en verre, un mobilier de type Louis XV et une majestueuse peinture au plafond. Dans une atmosphère plus *British,* le Library vous donne l'impression d'être dans le salon d'un manoir anglais. Feu de cheminée, table de billard et bibliothèque pour ce lieu hautement sophistiqué. Si le temps le permet, vous pourrez siroter votre cocktail en plein air dans le décor très romantique du Private Park.

Voir aussi le ***Time Warner Center*** *(p. 36) et le* ***Lincoln Center*** *(p. 37).*

Brooklyn
Visite 20 – p. 48

ReBar

147 Front St., entre Jay St.
et Pearl St. (C6)
M° York St. ou High St.
☎ (917) 583 93 43
www.rebarnyc.com
Lun.-mar. 11h30-2h, mer.-sam.
11h30-4h, dim. 11h-2h
Boisson : $10-15.

L'entrée du ReBar est trompeuse. Telle une devanture d'un petit pub de quartier, elle ouvre pourtant sur un large escalier qui mène à un loft gigantesque transformé en bar ! Un espace magnifique avec un coin lounge, des hauts plafonds, des piliers en pierre et des murs en brique ornés de tableaux. Un DJ (parfois même un groupe *live*) se charge de mettre l'ambiance, et le lieu est si spacieux qu'on peut danser au milieu des tables. Petit plus : le bar est situé à deux pas du Brooklyn Bridge Park (voir p. 48), la vue sur Manhattan de nuit y est si romantique…

Williamsburg
Visite 21 – p. 50

Hotel Delmano

82 Berry St., entrée
N 9th St. (D4)
M° Bedford Ave.
☎ (718) 387 19 45
www.hoteldelmano.com
Lun.-ven. 17h-2h,
sam.-dim. 14h-2h.

Il ne s'agit pas d'un hôtel mais d'un bar à cocktails, l'un des meilleurs du quartier. L'entrée est discrète car il n'y a pas d'enseigne. Allez-y pour son adorable décor vieillot avec ventilateurs en bois, comptoir en marbre, peintures passées et photos sépia. L'ambiance est chaleureuse, la clientèle jeune et branchée, et les cocktails délicieux. Pour déguster votre assiette d'huîtres en toute intimité, optez pour les salles rouge et verte.

NIGHT-CLUBS

Sans cesse à la recherche de nouveautés, New York offre l'embarras du choix aux noctambules en quête de sensations fortes et d'expériences originales. Certains clubs sont devenus des institutions, d'autres fleurissent et disparaissent en quelques mois. Informez-vous dans l'édition hebdomadaire du *Time Out Magazine*.

Lower East Side
Visite 4 – p. 16

Sapphire Lounge

249 Elridge St., entre Houston St.
et Stanton St. (I7)
M° Lower East Side-2nd Ave.
☎ (212) 777 51 53
www.sapphirenyc.com
Lun.-ven. et dim. 19h-4h,
Entrée : jusqu'à $10.

L'endroit en soi n'a rien d'extraordinaire (c'est très petit), et la déco, rien de clinquant. En revanche, c'est toujours plein et l'ambiance est très animée ! La musique varie selon les soirs, allant du disco à la house en passant par le hip-hop ou encore le reggae. De quoi ravir tout le monde.

bOb

235 Eldridge St., entre Houston St.
et Stanton St. (I7)
M° Lower East Side-2nd Ave.
☎ (212) 529 18 07
www.bobbarnyc.com
Mer.-sam. 19h-4h.

Il s'agit plus d'un bar dansant que d'un night-club, et l'endroit, tout, tout petit, ne désemplit pas. Au fil des années, bOb demeure l'un des lieux incontournables des nuits new-yorkaises si vous êtes amateur de hip-hop ! L'ambiance y est détonante.

East Village
Visite 5 – p. 18

Webster Hall

119-125 E 11th St., entre
3rd et 4th Ave. (H6)
M° 14th St.-Union Square ou 3rd Ave.
☎ (212) 353 16 00
www.websterhall.com
Jeu.-sam. 22h-5h

Entrée : de 10 à $30 (gratuit pour les filles jeu.)
***Dress code* sur le site internet.**

Ce pourrait être le modèle de la discothèque à thème : quatre étages gigantesques. De la pop commerciale à l'*acid jazz* en passant par le rock et le reggae, de quoi satisfaire tous les goûts, d'où l'affluence. Sans oublier une scène pour les concerts (le jeudi).

Nublu

62 Ave. C, entre 4th et 5th St. (C5)
M° Lower East Side-2nd Ave.
www.nublu.net
T. l. j. 20h-4h
Concert à 21h, 23h et 1h en semaine, 22h, 00h et 2h le w.-e.
Entrée : $10.

Aucune enseigne extérieure apparente, si ce n'est une petite ampoule bleue juste au-dessus de la porte d'entrée. Une adresse qui se voulait « secrète » au départ, mais qui, au vu de son succès, fait maintenant partie des meilleurs night-clubs de la ville. Des groupes et des DJ s'y produisent chaque soir dans une ambiance jazz et world music principalement brésilienne. En été, le jardin extérieur reste ouvert jusqu'à 22h. Profitez-en !

SoHo / NoLIta
Visite 6 – p. 20

Club Shelter

37 Vandam St., angle Varick St. (G7)
M° Houston St. ou Spring St.
☎ (212) 807 70 00
www.clubshelter.com
Jeu-sam. 22h-6h
Entrée : de 10 à $35.

Les nuits du samedi au Club Shelter font partie des rendez-vous incontournables de Manhattan. Le club a quitté son adresse légendaire du Midtown pour venir s'installer à l'ouest de SoHo, mais l'ambiance n'a pas changé. La musique est

1 - Cielo
2 - Webster Hall
3 - ReBar

toujours aussi forte et la foule danse toute la nuit aux rythmes de *deep house,* de disco, de funk, de reggae ou de *latin music*. Une terrasse a été installée sur le toit pour des pauses fort agréables. Les courageux qui tiendront jusqu'à 6h du matin se verront offrir un chocolat chaud ! Également des concerts (prix variable) toute la semaine, plus tôt dans la soirée.

Meatpacking District
Visite 8 – p. 24

Cielo

18 Little W 12th St., entre Washington St. et Greenwich St. (A4)
M° 14th St. ou 8th Ave.
☎ (212) 645 57 00
www.cieloclub.com
Lun. et mer.-sam. 22h-4h
Entrée : de 15 à $25.

Deep house, électro, nu-jazz, soul, afro-latino... Il y en a pour tous les goûts dans ce très design temple de la nuit, qui s'est déjà vu décerner divers prix comme celui du Meilleur Club par le *Clubworld Awards* 2008. Sa situation en plein cœur du très branché West Village, vers Meatpacking District, confirme son succès.

Chelsea
Visite 9 – p. 26

Marquee

289 10th Ave., entre 26th et 27th St. (A4)
M° 23rd St.
☎ (646) 473 02 02
www.marqueeny.com
Ven.-sam. 23h-4h
Entrée : $20.

Installé dans un ancien garage, le Marquee jouit d'une superficie plus que généreuse ! L'immense hauteur sous plafond a permis d'agencer une seconde salle en mezzanine dont la façade vitrée offre une vue plongeante sur l'ambiance du niveau inférieur. La musique est sans doute une des plus éclectiques de la ville, allant jusqu'à programmer de la pop grand public.

Concerts, spectacles

1 - Joe's Pub
2 - Joe's Pub
3 - Blue Note
4 - Mercury Lounge

POP-ROCK

Lower East Side
Visite 4 – p. 16

Mercury Lounge

217 E Houston St., angle Essex St. (I7)
M° Lower East Side-2nd Ave.
☎ (212) 260 47 00
www.mercuryloungenyc.com
Box office : lun.-sam. 12h-19h
Entrée : de 8 à $15.

Considérée comme l'une des salles les plus importantes de la scène rock, elle reçoit aussi bien de jeunes artistes locaux en quête de succès que Lou Reed, Joan Jett ou Radiohead. Underground, *indie* ou rock plus commercial, la programmation est toujours intéressante.

Bowery Ballroom

6 Delancey St., entre Bowary St. et Chrytie St. (I7)
M° Bowery
☎ (212) 533 21 11
www.boweryballroom.com
Concerts : t. l. j. à partir de 18h30
Entrée : de 13 à $40.

Sans doute une des meilleures salles pour écouter des groupes indépendants, souvent très prometteurs, ou de grands groupes de folk, de rock ou même de funk. Le lieu est magnifique, l'acoustique est irréprochable et le bar-lounge du sous-sol permet de se relaxer agréablement après le concert. Possibilité de réserver ses billets en ligne sur le site de la salle.

East Village
Visite 5 – p. 18

Joe's Pub

425 Lafayette St., entre Astor Place et 4th St. (H6)
M° Astor Place ou 8th St.
☎ (212) 539 87 78
www.joespub.com
T. l. j. 19h-minuit
Entrée : de 12 à $30
(+ 2 boissons minimum).

Un lieu unique et extrêmement convivial, à la fois restaurant et salle de spectacles en tout genre. Sa programmation alterne entre théâtre, poésie et musique. Les concerts proposés vous permettent de découvrir des artistes de la scène locale, mais aussi des artistes connus dans une ambiance beaucoup plus intime que dans la plupart des grandes salles. C'est ici que des chanteuses comme Norah Jones ou Alicia Keys ont fait leurs premières apparitions publiques.

Williamsburg
Visite 21 – p. 50

The Knitting Factory

361 Metropolitan Ave., angle Havemeyer St. (D5)
M° Metropolitan Ave.
☎ (347) 529 66 96
http://bk.knittingfactory.com
Bar à partir de 17h, concerts payants, tous les soirs, de 10 à $15
Bière : $6.

Anciennement à TriBeCa, le temple de l'*indie*-rock a rouvert ses portes dans un bar des années 1930 à Williamsburg. Groupes du moment, *stand-up comedy*, concerts expérimentaux, la qualité est toujours là ! Non loin et dans le même esprit, Music Hall of Williamsburg (66 N 6th St., entre Kent et Wythe Ave. (D4), ☎ (718) 486 54 00, www.musichallofwilliamsburg.com).

JAZZ

West Village / Greenwich Village
Visite 7 – p. 22

Village Vanguard

178 7th Ave. S, angle Perry St. (G6)
M° 14th St.
☎ (212) 255 40 37
www.villagevanguard.com
Concerts à 21h et 23h
Entrée : $35 (incluant un minimum de $10 de boisson).

Ouvert depuis 1935, le Village Vanguard n'a pas pris une ride. Toutes les célébrités du jazz, comme Pharoah Sanders, John Coltrane ou Miles Davis, sont venues se produire ici. Le Village Vanguard est donc devenu une institution. C'est maintenant une scène incontournable pour tous les grands noms du jazz. Le lundi est réservé à l'orchestre Jazz Vanguard.

Blue Note

131 W 3rd St., entre 6th Ave. et Mac Dougal St. (G6)
M° W 4th St.
☎ (212) 475 85 92
www.bluenote.net
Entrée : de 10 à $65 (+ un minimum de $5 de nourriture ou de boisson).

Le Blue Note est un des clubs de jazz les plus réputés de New York, et pourtant l'expérience peut être décevante. Très touristique, l'endroit est assez cher (évitez surtout d'y manger !), petit (on est un peu les uns sur les autres), et l'accueil pas toujours des plus agréable. L'excellente programmation musicale qui comprend les plus grandes stars du moment (Sarah Vaughan et Ray Charles s'y sont produits) vous fera peut-être oublier ces désagréments.

Rockefeller Center
Visite 13 – p. 34

Iridium Jazz Club

1650 Broadway, angle 51st St. (A2-B2)
M° 50th St. (ligne 1)
☎ (212) 582 21 21
www.iridiumjazzclub.com
Entrée : de 25 à $45 (+ $10 minimum de nourriture ou de boisson).

Anciennement situé en face du Lincoln Center, l'Iridium s'est rapproché de Times Square, ce qui lui enlève un peu de son âme et de son charme. La programmation est excellente (tout comme l'acoustique), elle mêle stars de renom et groupes moins populaires. L'Iridium est aussi un restaurant.

Harlem
Visite 18 – p. 44

Smoke

2751 Broadway, entre 105th et 106th St. (D3)
M° 103rd St.
☎ (212) 864 66 62
www.smokejazz.com
T. l. j. 17h-2h
Entrée payante ven.-sam. : $30 + $10 minimum au bar.

Ce club est moins connu du grand public et il est beaucoup plus excentré certes, mais il vaut tout aussi largement le détour ! La programmation est très riche, l'ambiance est chaleureuse et les *jam sessions* du début de semaine vous permettent d'assister à de très bonnes prestations, et ce gratuitement (une consommation est néanmoins obligatoire).

*Voir aussi l'**Apollo Theatre** et le **Lenox Lounge** (p. 45).*

MUSIQUES DU MONDE

SoHo / NoLIta
Visite 6 – p. 20

SOB's

204 Varick St., angle Houston St. (G7)
M° Houston St.
☎ (212) 243 49 40
www.sobs.com
Ouvert les soirs de concerts
Entrée : de 10 à $30.

Ce club programme régulièrement des concerts de musiques africaines, de raï, de *soca* ou de salsa, ainsi que du reggae ou de la musique haïtienne. On y retrouve parfois des stars du funk ou de la soul des années 1970 pour une prestation *live*. L'ambiance y est décapante !

CABARET

Lower East Side
Visite 4 – p. 16

The Box

189 Chrystie St., entre Stanton St. et Rivington St. (I7)
M° 2nd Ave. ou Bowery
☎ (212) 982 93 01
Résa : ☎ (917) 280 59 77
T. l. j. à partir de 23h (ne pas arriver après minuit !), shows à 1h
***Dress code* : glamour.**

La devanture ne vous inspire pas ? Et pourtant voici l'un des clubs les plus courus de New York pour ses shows burlesques décadents. Dans une salle de bal étoffée de chandeliers et de miroirs, la clientèle triée sur le volet et au porte-monnaie bien rempli (il n'est pas rare d'y croiser des célébrités) vient s'encanailler de spectacles de cabaret version *dark*. Attention, si vous réservez une table, l'addition peut atteindre des sommets.

MUSIQUE CLASSIQUE ET OPÉRA

Rockefeller Center
Visite 13 – p. 34

Carnegie Hall

154 W 57th St., angle 7th Ave. (B2)
M° 57th St.
☎ (212) 247 78 00
www.carnegiehall.org
Entrée : de 20 à $90.

Tchaïkovski a dirigé le concert d'inauguration du Carnegie Hall en 1891. La salle propose un programme très varié dans lequel se produisent des stars du monde entier, de Liza Minnelli à Neil Sedaka. Récitals de piano, chorales, formations de musique de chambre, orchestres symphoniques... Le Carnegie Hall possède une seconde salle de spectacle : le Zankel Hall.

Lincoln Center
Visite 14 – p. 36

Metropolitan Opera House

Lincoln Center, 62nd-65th St., entre Columbus et Amsterdam Ave. (A2)
M° 66th St.-Lincoln Center
☎ (212) 362 60 00
www.metopera.org
Entrée : de 25 à $320.

Le Metropolitan Opera House, dont les tapisseries ont été réalisées par Marc Chagall, est une institution qui abrite la plus grande compagnie lyrique de New York : la Metropolitan Opera Company. Les places sont très chères, et mieux vaut s'y prendre à l'avance. Mais n'hésitez pas à tenter votre chance le jour même pour un siège au poulailler *(Family Circle)*... on ne sait jamais.

DANSE

Chelsea
Visite 9 – p. 26

Joyce Theater

175 8th Ave., angle 19th St. (A4)
M° 23rd St.
☎ (212) 242 08 00
www.joyce.org
Entrée : de 20 à $90 env.

Le Joyce Theater a été transformé en un espace très intimiste, proposant des représentations de petites troupes new-yorkaises au talent reconnu. Eliot Feld y a commencé sa carrière dans une pièce de Balanchine, et sa troupe actuelle, la Ballet Tech Company, y a élu domicile. Meredith Monk et The Erick Hawkins Dance Company s'y sont souvent produits. Le programme d'été du Joyce Theater est bien rempli et intéressant.

Dance Theater Workshop

Bessie Schönberg Theater
219 W 19th St., entre 7th et 8th Ave. (A4)
M° 18th St.
☎ (212) 691 65 00
ou ☎ (212) 924 00 77
www.dancetheaterworkshop.org
Entrée : de 5 à $30.

Inutile de chercher ici les pointes ou les tutus du ballet classique, le Dance Theater Workshop a investi le champ

Théâtre et music-hall

L'énergie new-yorkaise est aussi présente dans ses spectacles, que l'on peut classer en trois catégories. La première, « Broadway », correspond à toutes les grandes comédies musicales *(Broadway shows)*. Les salles se situent autour de Times Square, de chaque côté de Broadway, entre 41st et 53rd St. Ces énormes productions restent très longtemps à l'affiche. Parmi les plus célèbres, *Cats*, *Cabaret* ou *Les Misérables*. Viennent ensuite les théâtres de l'« Off-Broadway », plus petits (moins de 500 places) et situés dans différents quartiers de Manhattan. Il s'agit de productions moindres, aussi bien des comédies musicales de boulevard que des one-man-shows. Enfin, l'« Off-Off-Broadway » regroupe toute la scène expérimentale ainsi que le travail des jeunes compagnies de théâtre. Les salles offrent généralement moins de 100 places. Pour s'informer des spectacles en cours, lisez le *Time Out New York* ou le *New York Times*. Tous les billets des spectacles de Broadway et Off-Broadway sont en vente sur www.telecharge.com

1 - Dance Theater Workshop
2 - Joyce Theater
3 - Metropolitan Opera House

de la danse expérimentale et de la performance. Depuis ses débuts en 1965, il est devenu une référence en matière de danse contemporaine.

Lincoln Center
Visite 14 – p. 36

David H. Koch Theater

Lincoln Center
Columbus Ave., angle 63rd St. (A2)
M° 66th St.-Lincoln Center
☎ (212) 870 55 70
www.nycballet.com
Entrée : $90 en moy.

Ce somptueux théâtre abrite les spectacles du célèbre New York City Ballet. De sublimes performances qui s'étendent sur deux saisons : de Thanksgiving à fin février, puis de début avril à début juin. Les meilleures places sont un peu chères, mais elles en valent largement la peine !

SPECTACLES

Broadway

Belasco Theater

111 W 44th St., entre Broadway et 6th Ave. (B3)
M° 42nd St.-Bryant Park
☎ (212) 239 62 00
Entrée : de 31,50 à $200.

Conçu par l'architecte George Keister pour David Belasco, ce théâtre a ouvert ses portes en 1907. Il est équipé d'une scène mobile qui permet facilement les changements à vue.

Eugene O'Neill Theater

230 W 49th St., entre Broadway et 8th Ave. (A3)
M° 50th St.
☎ (212) 239 62 00
www.jujamcyn.com
Entrée : dès $210.

Du nom du célèbre dramaturge américain, lauréat du prix Nobel de littérature, l'ancien Coronet Theater accueillit de nombreuses représentations, comme la pièce de théâtre *All My Sons* d'Arthur Miller (dramaturge et époux de Marilyn Monroe), qui a été jouée ici pour la première fois en 1947. Si vous rêvez de rencontrer les mythes de Broadway, n'hésitez plus !

August Wilson Theatre

245 W 52nd St., entre Broadway et 8th Ave. (A2)
M° 50th St.
☎ (212) 239 62 00
Entrée : de 47 à $147.

Anciennement connue sous le nom de Virginia Theatre, cette salle continue d'offrir une très bonne programmation.

Off-Broadway

The Public Theater

425 Lafayette St., entre Astor Place et E 4th St. (H6)
M° Astor Place ou 8th St.
☎ (212) 967 75 55
www.publictheater.org
Entrée : dès $160.

Ce complexe est entièrement consacré aux nombreuses productions de nouveaux auteurs et acteurs américains.

New York s'affiche

Les spectacles jouent un rôle considérable dans la vie quotidienne des New-Yorkais, d'autant plus que beaucoup sont gratuits. L'été, Central Park retentit d'airs d'opéra ou de musique techno, des tréteaux improvisés accueillent au coin des rues danseurs et acteurs en herbe. Non contente d'être déjà un spectacle à elle toute seule, New York s'impose comme la capitale de la scène mondiale.

À Broadway et ailleurs

C'est dans le quartier de Times Square, autour de Broadway, que vous pourrez voir jouer les grandes comédies musicales à la mode, les fameux *Broadway shows*. Mais la scène new-yorkaise ne se limite pas aux abords de cette avenue. Si vous préférez les pièces plus classiques ou d'avant-garde à ces grosses productions, dirigez-vous vers les spectacles de l'Off-Off Broadway.

New York sur un pas de danse

C'est au lendemain de la Seconde Guerre mondiale que New York a acquis son statut de capitale de la danse. Martha Graham ouvrait alors la voie à la danse moderne. Dans les années 1950, Merce Cunningham enrichit la jeune chorégraphie américaine d'une esthétique nouvelle en essaimant dans toute la ville ses recherches avant-gardistes. Les années 1960 ont apporté une créativité nouvelle et une liberté plus grande. Aujourd'hui, les chorégraphes, comme Trisha Brown, investissent lofts et galeries d'art.

Silence, on tourne !

New York est la ville la plus filmée au monde ! Depuis l'âge d'or des années 1930 et 1940 jusqu'à Woody Allen, Sydney Pollack ou Francis F. Coppola, tous les grands metteurs en scène se sont laissé séduire. Les New-Yorkais fréquentent beaucoup le cinéma, bien que les salles soient peu nombreuses par rapport à la taille de la ville. En marge des grosses productions, les cinéphiles se retrouvent dans quelques lieux privilégiés, à la programmation pointue : le **MoMA** (voir p. 35 et 57), l'**Angelika Film Center** (18 W Houston St., H7,

M° Broadway-Lafayette St., www.angelikafilmcenter.com) ou le **Film Forum** (209 W Houston St., H7,

M° Houston St. ou Spring St.; ☎ (212) 727 81 10, www.filmforum.org, tickets : $12,50). La ville compte également un grand nombre de festivals de cinéma, dont l'incontournable **TriBeCa Film Festival** (voir p. 8 et 13).

La performance, un art qui sort de la marginalité

La performance (ou *happening*) n'est ni du théâtre, ni du cinéma, ni de la danse, ni de la musique, mais tout cela à la fois ! L'artiste *performer* est une sorte d'acteur qui travaille avec les sons, les rythmes et les images qu'il transforme. Grâce à l'accueil des médias et aux supports visuels et sonores de plus en plus variés, la performance s'est élargie. Aujourd'hui, les représentations de *happenings* ne se limitent plus aux galeries et envahissent certains clubs et théâtres.

Les comédies musicales

La première comédie musicale jouée à New York, *The Black Crook,* date de 1866 et s'est jouée 475 fois ! Cinq heures et demie de divertissement mêlant pour la première fois danse, théâtre, musique et effets spéciaux. Elle suscite un engouement tel que les promoteurs de spectacles s'emparent de la tendance. Jusqu'à la fin des années 1920, la comédie musicale évolue fortement grâce à la contribution de grands compositeurs comme Gershwin ou Cole Porter, et à l'arrivée d'interprètes de talent comme Fred Astaire. Enfin, l'adaptation cinématographique de certaines grandes *musical comedies* comme *West Side Story* (1961) ou *My Fair Lady* (1964) a encore renforcé leur popularité. Aujourd'hui, ces *Broadway shows* animent plus que jamais la ville.

Au cœur des sons de la cité

La scène musicale new-yorkaise est trépidante ! Aux nombreuses salles de concerts s'ajoutent une multitude de bars de quartier où des groupes jouent plusieurs soirs par semaine. Une scène locale qui n'a souvent rien à envier aux artistes de renom. Car ici, le niveau est élevé, et il suffit de tendre l'oreille au hasard de votre trajet, dans la rue ou le métro, pour vous en rendre compte !

La capitale du jazz

Après sa première apparition à La Nouvelle-Orléans, le jazz débarque à Chicago puis à New York (principalement à Harlem) et la ville acquiert le titre de capitale mondiale du jazz dès les années 1920. À La Nouvelle-Orléans, le jazz est un art de rue ; à New York, un art de scène. De nombreux cabarets comme le Cotton Club participent à la popularité et au succès des musiciens. Tous les grands, de Louis Armstrong à Miles Davis en passant par Sidney Bechet, Count Basie, Duke Ellington, Charlie Parker, Ella Fitzgerald, Thelonious Monk ou John Coltrane, se sont produits à New York. De nouveaux styles comme le swing (1930), le be-bop (1940), le hard bop (1955) ou le free jazz (1960) y sont nés. Selon la légende, ce sont les musiciens de jazz qui ont surnommé la ville « la grosse pomme » *(Big Apple)*, en référence au trac, cette boule dans la gorge avant de monter sur scène...

Rock, folk & Co

New York est à l'origine d'autres genres musicaux ou en est devenue l'épicentre. Cela pour deux raisons : l'immense quantité de salles de concerts que compte la ville et l'incroyable mixité de sa population. C'est le cas de la folk music apparue dès les années 1940 dans Greenwich. Ce genre, souvent lié à un engagement politique, a été grandement représenté par des artistes comme Joan Baez ou Bob Dylan. Le rock alternatif, ou plus précisément la punk music, a été porté par la scène new-yorkaise des années 1980 et son club mythique, le CBGB. Le hip-hop a débuté dans le Bronx des années 1970 alors que des DJ s'initiaient à isoler les percussions de morceaux de funk ou de soul music. C'est ici qu'est né, en 1982, l'immense hit de Grandmaster Flash, *The Message*, prémice du rap...

Les perles du métro

Nombreux sont les New-Yorkais qui laissent filer leur métro tant ils sont happés par le spectacle qui s'offre sur le quai ! Une réincarnation d'Otis Redding à vous donner la chair de poule, un trio de jazz qui décoiffe, une formation de funk à vous faire oublier votre rendez-vous... D'excellents artistes qui viennent se produire gratuitement pour tenter de se faire remarquer et de vendre leur propre CD. Une mine d'or !

L'influence des clubs

C'est sans doute la ville qui réunit le plus de clubs de musique au monde et qui plus est, dans tous les genres. Des grands stadiums, comme le Madison Square Garden, aux clubs mythiques et petites salles de quartier, il y en a pour tous les goûts et pour toutes les bourses. Le jazz est omniprésent avec de grands clubs tels le **Blue Note**, le **Village Vanguard** ou l'**Iridium** (voir p. 133), mais aussi des lieux comme le **Zinc Bar** (voir p. 128) ou le **Smoke** (voir p. 133). Malgré la fermeture du CBGB en 2006, la scène rock est toujours très active. En dehors du **Knitting Factory** à Williamsburg (voir p. 133), c'est dans le Lower East Side qu'est regroupée la majorité des salles. Le quartier de Greenwich possède également une liste de clubs dédiés à divers univers : jazz, rock, pop, brésilien, funk... Enfin, un club à ne manquer sous aucun prétexte : le **Joe's Pub** (p. 132) ! Sa programmation riche et diversifiée reflète l'énergie et la créativité de la ville.

Le Lincoln Center, une institution

Construit dans les années 1960 et rénové récemment, c'est le principal centre culturel de la ville

(voir p. 37). Il compte dix-neuf salles et n'occupe pas moins de 6 ha ! Fief de la musique classique puisqu'il accueille l'Opéra et l'orchestre philarmonique, cet impressionnant complexe propose aussi du jazz avec le Jazz at Lincoln Center (une des salles est installée dans le **Time Warner Center**, voir p. 36), de la danse avec le New York City Ballet, du théâtre, du cinéma (dont le New York Film Festival) des écoles, une bibliothèque destinée aux arts de la scène (Library for the Performing Art) ou encore de la musique de chambre, au Alice Trully Hall.

Carnet pratique

Quand partir ?

Les meilleures périodes pour passer quelques jours à New York sont les demi-saisons. Dès la mi-mars, la fraîcheur est très agréable et les beaux jours s'annoncent avec quelques hausses de température. En juin, il fait déjà beaucoup plus chaud. Les mois de juillet et août sont réputés parmi les plus pénibles de l'année, car la chaleur moite (jusqu'à 40 °C) est difficilement supportable. Munissez-vous quand même d'un vêtement de pluie, car vous pourrez rencontrer de violents orages. L'automne confère un charme particulier à la ville (les températures sont douces et la lumière est belle). L'hiver à New York est rude et les températures chutent souvent en dessous de 0 °C. Un vent sec et coupant vous fera passer l'envie de vous attarder dans les rues. Pourtant, la période de Noël peut être l'occasion d'un séjour, car la ville est magique à cette époque. De nombreux Américains se déplacent du pays entier pour admirer les vitrines des magasins, et la ville brille de mille feux.

SE RENSEIGNER AVANT DE PARTIR

- **NYC & Company France / Aviareps :** Informations sur New York par e-mail uniquement, et envoi de brochures sur demande : nyc-france@articleonze-tourisme.com – www.nycgo.com
- **Ambassade des États-Unis :** 2, avenue Gabriel, 75008 Paris ☎ 01 43 12 22 22 http://french.france.usembassy.gov
- **Service des visas :** ☎ 0 810 26 46 26 (attention, il vous sera facturé 14,50 € pour un appel !) – www.usvisa-france.com
- **Village Voice Bookshop (librairie)** 6, rue Princesse, 75006 Paris – ☎ 01 46 33 36 47 www.villagevoicebookshop.com

Pour y aller

EN AVION

Il y a plus de dix vols quotidiens directs pour se rendre de Paris à New York et un vol au départ de Nice. Attention, les femmes mariées doivent désormais réserver leur billet avec leur nom de jeune fille figurant en bas du passeport. À New York, les deux aéroports internationaux sont **John F. Kennedy International Airport (JFK)** et **Newark Liberty International Airport**, situé dans l'État du New Jersey.

Les compagnies assurant des vols directs sont :

- **Air France**
Depuis la France : ☎ 36 54
Depuis les États-Unis : ☎ 1 (800) 237 27 47
www.airfrance.fr
- **Delta Airlines**
Depuis la France : ☎ 0 892 702 609
Depuis les États-Unis : ☎ 1 (800) 241 41 41
www.delta.com
- **American Airlines**
Depuis la France : ☎ 0 826 460 950
Depuis les États-Unis : ☎ 1 (800) 433 73 00
www.americanairlines.fr
- **United Airlines**
Depuis la France : ☎ 01 71 23 03 35
Depuis les États-Unis : ☎ 1 (800) 824 83 31
www.pss.united.com

Beaucoup d'autres compagnies aériennes proposent des vols quotidiens avec escale depuis Paris. Soyez attentif, les compagnies aériennes régulières proposent fréquemment des tarifs dégriffés sur leurs sites Internet. Attention, si vous réservez un vol discount sur une centrale de réservation en ligne, vous ne pourrez ni modifier ni annuler votre billet.

Voyages-sncf.com

Première agence de voyages sur Internet, accessible 24h/24 et 7j/7, vous propose ses meilleurs prix sur les billets de train et d'avion, chambres d'hôtel, location de voiture, séjours clés en main ou Alacarte®. Vous avez également accès à des services exclusifs : l'envoi gratuit des billets à domicile, Alerte Résa pour être informé de l'ouverture des réservations, le calendrier des meilleurs prix, mais aussi des offres de dernière minute, de nombreuses promotions…

Dormir à New York

QUEL QUARTIER ?

Pour un **séjour culturel**, privilégiez l'Upper West Side et l'Upper East Side autour du paisible Central Park. Moins calme mais central, Midtown est tout indiqué pour profiter des **spectacles** de Broadway. Les adresses souvent plus abordables de Chelsea, Greenwich Village, East Village, SoHo et TriBeCa sont de bons pied-à-terre pour le **shopping** ou les **sorties nocturnes**. Financial District compte de nombreux établissements qui bradent leurs chambres le week-end…

CLASSIFICATION

À New York, il faut distinguer : les palaces, les hôtels toutes catégories (du plus cheap au plus chic), les B&B et *guesthouses* (de la simple chambre à l'appartement privé avec ou sans services), et les *hostels* (auberges de jeunesse avec dortoirs à partir de $30 ou chambres avec salle de bains commune). Souvent petites, les chambres ont en principe l'équipement standard (TV, téléphone, climatisation, Internet gratuit ou non…). Celles sur cour sont plus calmes mais beaucoup plus sombres. À plusieurs, il est plus rentable de louer un appartement. Consultez **www.homelidays.com** ou **www.nyhabitat.com**

TARIFS

Très fluctuants, les prix varient en fonction de la localisation, du jour de la semaine et du taux de remplissage. Les tarifs les plus bas sont appliqués en janvier et février et les plus élevés à Pâques, de septembre (après Labor Day) au 31 décembre et lors d'événements comme le marathon de New York. Pour une chambre double standard au confort minimum, comptez de 90 à $100 en basse saison et le double ou le triple en haute saison. Les prix affichés sont toujours hors taxes. La taxe hôtelière est de 14,875 % (5,875 % à partir de 7 nuits) et la taxe de séjour de 3 à $6 par nuit et par chambre. Le petit déjeuner n'est pas toujours compris (parfois il n'est pas proposé) et coûte en moyenne $15. Mieux vaut le prendre à l'extérieur. Téléphoner de sa chambre d'hôtel coûte très cher (voir p. 149).

BONS PLANS INTERNET

Sur Internet, les promotions et les bonnes affaires sont fréquentes, et ce quelle que soit la période. Pour bénéficier du meilleur tarif, allez en priorité sur le site de l'hôtel choisi, puis consultez les différents sites de comparatif de prix tels :
www.trivago.fr,
www. hotels.com
www. booking.com

RÉSERVATION

Si vous partez en haute saison, réservez longtemps à l'avance. En basse saison, il est plus intéressant de réserver au dernier moment, car les hôtels bradent leurs chambres. Il est aussi plus avantageux de réserver sur les sites internet des hôtels (promos spéciales), des agences de voyages et des centrales de réservation hôtelière qui bénéficient de tarifs négociés (réductions jusqu'à 50 %) comme **www.quikbook.com**, **www.expedia.com** ou **www.hotels.com**

Sans oublier : retrouvez notre sélection d'adresses, p. 150.

Se déplacer

DE L'AÉROPORT AU CENTRE-VILLE

Les aéroports de New York sont très bien reliés à Manhattan. Dans les aérogares, suivez les panneaux « Ground Transportation » pour les transports en commun ou « Taxi » si vous préférez ce moyen de locomotion.

John F. Kennedy International Airport (JFK)

www.panynj.gov/airports/jfk.html

• En transports en commun

Pour prendre le métro, vous devrez d'abord prendre la navette de l'aéroport, AirTrain ($5 ; renseignez-vous, certaines stations peuvent être fermées), qui vous conduira à la station de métro de votre choix : Howard Beach (ligne A) ou Jamaica Station (lignes E, J et Z). Une fois au métro, vous devrez vous munir d'un ticket ($2,25) pour un trajet unique, ou d'une *MetroCard* (voir p. 143). Il faut compter entre 50 min et 1h15 de trajet selon votre destination finale.

• En navette

Des bus et navettes routières (*shuttles*) relient l'aéroport à Manhattan. Le prix est moins élevé que le taxi, mais le trajet est parfois plus long et on ne vous déposera pas forcément à la porte de votre hébergement !

New York Airport Service Express : ☎ (718) 875 82 00 – www.nyairportservice.com ($15 l'aller, $25 l'aller-retour).

Ces bus desservent les gares de Grand Central (B3), Port Authority (8th Ave., angle 42nd St. – A3), Pennsylvania Station (A3), ainsi que certains hôtels entre 31st et 60th St.

SuperShuttle : ☎ (800) 258 38 26 – www.supershuttle.com – env. $25 par personne.

Cette compagnie a mis en place un service de voitures et de vans qui vous conduiront avec d'autres passagers depuis l'aéroport jusqu'à la destination de votre choix. Pour cela, il vous suffit de vous rendre au bureau d'information (*Ground Transportation Desk*), où un agent vous assistera. Sinon, vous pouvez directement appeler votre voiture en utilisant le téléphone gratuit, prévu à cet effet, situé à côté du comptoir. Un bon moyen pour avoir un premier aperçu de la ville.

• En taxi

Il vous en coûtera $45 pour vous rendre n'importe où dans Manhattan. C'est un prix fixe, mais attention, il ne comprend ni les péages ni le pourboire (voir p. 145) ! La durée du trajet est d'environ 1h selon la densité de la circulation.

Newark Liberty

www.panynj.gov/airports/newark-liberty.html

• En transports en commun

Suivez les panneaux « Air Train ». Ce petit train gratuit vous conduira de votre terminal vers la gare de l'aéroport (Newark Liberty International Airport Train Station). À partir de là, prenez un train du réseau Amtrak ou NJ Transit, qui vous conduira directement à la gare de New York ($12,50), à ne pas confondre avec Newark Penn Station qui se trouve sur le trajet. Infos sur **www.airtrainnewark.com**

• En taxi

Comptez un minimum de $50 (selon l'adresse exacte où vous vous rendez) et ajoutez-y les péages et le pourboire. La durée du trajet est d'au moins 45 min.

SUR PLACE

Lire la carte

L'agglomération de New York se compose de cinq *boroughs* ou municipalités : Manhattan, le Bronx, le Queens, Brooklyn et Staten Island. Située entre East River et Hudson River, l'île de Manhattan regroupe les principaux centres d'intérêt et se divise en trois parties.

SE REPÉRER

Retrouvez chacune des balades du chapitre Visiter sur la carte générale placée en fin de guide grâce aux repères qui vous sont indiqués.

- **Downtown** (de la pointe sud à 14th St.) regroupe les quartiers de Lower Manhattan, TriBeCa, Chinatown, Little Italy, NoLIta, SoHo et Lower East Side.
- **Midtown** (de 14th St. à 59th St., au sud de Central Park) englobe les Villages (Greenwich, West et East), Chelsea, le quartier des théâtres et celui des affaires autour du Rockefeller Center.
- **Uptown** (de 60th St. au nord de l'île) est divisé en deux par Central Park avec West Side et Upper West Side à l'ouest, East Side et Upper East Side à l'est, et Harlem au nord.

Il est très facile de se repérer dans Manhattan, bâtie selon un plan géométrique : rues (Street ou St. orientées est/ouest) et avenues (Ave., sud/nord) sont perpendiculaires. Une adresse se compose ainsi d'un numéro de rue et d'un numéro d'avenue. Les avenues portent des numéros de 1 à 12 (5th Ave.), des noms (Park Ave., Broadway) ou des lettres (A, B, C, D dans East Village). Les rues sont aussi désignées par des numéros de 1 à 220 (1st St.). Seules exceptions : dans le West Village et Downtown, où le tissu urbain est plus anarchique, rues et avenues sont désignées par des noms. Les avenues sont numérotées du sud vers le nord (sauf Ave. A, B, C et D où c'est le contraire) et les rues de l'est vers l'ouest pour la zone à l'ouest de 5th Ave. et de l'ouest vers l'est pour la zone à l'est de 5th Ave. Par exemple, 1 W 21st St. se trouve à l'ouest, donc à gauche de 5th Ave. et 1 E 21st St. est à droite. Trouvez le plus court chemin d'un point à un autre, à pied, en bus ou en métro, sur **www.hopstop.com**

Titres de transport

Le ticket de bus ou de métro à l'unité coûte $2,50 ($5,50 pour les bus express). Dans le bus, prévoyez la somme exacte en pièces de monnaie (*change*) et demandez un *transfer ticket* si vous souhaitez prendre une correspondance. Plus avantageuse et valable pour le bus et le métro, la ***MetroCard*** est une carte magnétique rechargeable, disponible aux guichets et distributeurs automatiques des stations de métro, à l'office de tourisme et dans certains commerces. Il existe différentes formules :

- ***Pay-Per-Ride MetroCard*** : vous chargez autant de trajets que vous le souhaitez, de 4,50 à $80. À partir de $10, vous obtenez 7 % de bonus sur le coût réel de vos trajets.
- ***Unlimited Ride MetroCard*** : nombre de voyages illimité, valable 7 jours (*7-Day Unlimited Pass*, $29, ou $50 avec l'option *Express Bus*) ou 30 jours (*30-Day Unlimited Ride MetroCard*, $104).

Infos bus et métro :
MTA (Metropolitan Transportation Authority)
New York City Transit – ☎ 511 – www.mta.info
Les plans de bus et de métro sont disponibles dans les stations de métro.

Le métro (*subway*)

Moyen de transport le plus rapide et le plus économique, il est surtout pratique pour parcourir Manhattan du nord au sud (d'est en ouest, c'est la marche, le bus ou le taxi) et pour relier Brooklyn et le Queens. **Il fonctionne 24h/24** (service réduit la nuit et le week-end). Les bouches de métro sont signalées par des globes verts (rouges quand les guichets sont fermés ou à horaires réduits). **Attention, plusieurs stations portent le même nom** : il y a par exemple cinq stations 23rd St. disséminées sur cinq avenues. Des panneaux *Uptown* (vers le nord) ou *Downtown* (vers le sud) indiquent la direction des rames ainsi que le numéro des lignes (chiffres ou lettres). Vérifiez le numéro du train avant de monter, car des lignes différentes peuvent desservir une même station. De plus, **il existe deux types de train : le *local* qui s'arrête à toutes les stations et l'*express* qui dessert uniquement les stations principales**.

Les bus

Si l'on n'est pas pressé (gare aux embouteillages !), c'est un très bon moyen de découvrir New York. En service 24h/24, ils sillonnent les rues d'est en ouest (*Crosstown*, arrêt à toutes les avenues) et les avenues du nord au sud (*Uptown* ou *Downtown*, arrêt tous les deux ou trois *blocks*). Les arrêts sont signalés par des panneaux bleus, blancs et rouges, et le numéro de ligne et la destination finale apparaissent à l'avant et sur le côté du bus. Les bus express désignés par un X ne circulent qu'aux heures de pointe.

En taxi

New York ne serait pas New York sans ses 12 000 taxis jaunes (*yellow cabs*) qui dévalent les avenues à toute allure sans se soucier des nombreux nids-de-poule, plaquant littéralement les passagers au fond des banquettes ! Vous pouvez héler les taxis dont le numéro sur le toit est allumé (les lumières latérales indiquent qu'ils ne sont plus en service). Il est rare que les chauffeurs parlent couramment l'anglais, alors soyez précis dans vos indications. Indiquez le *crossing road* (carrefour) qui correspond à la section de rue où vous souhaitez vous rendre. La prise en charge coûte $2,50 puis 40 cents tous les

PENSEZ-Y

FORMALITÉS

• Passeports et visas

Pour bénéficier de l'exemption de visa pour les États-Unis, vous devez impérativement posséder un passeport biométrique, électronique ou à lecture optique délivré avant le 26 octobre 2005 (passeport Delphine) ainsi qu'un billet aller-retour pour un séjour qui ne doit pas excéder 90 jours. Pour vérifier la validité de votre passeport ou pour faire une demande de visa, rendez-vous sur le site Internet de l'ambassade américaine :
http://french.france.usembassy.gov
N'attendez pas le dernier moment car le temps d'attente pour un visa peut être très long (jusqu'à dix semaines).

• Autorisation de voyage

Depuis janvier 2009, tous les voyageurs exemptés de visa doivent remplir une demande d'autorisation de voyage aux États-Unis sur le site Internet de l'ESTA (Electronic System for Travel Authorization) au plus tard 72h avant le départ : **https://esta.cbp.dhs.gov/esta**
Sans cette autorisation électronique, l'entrée aux États-Unis vous sera refusée ! Moyennant $14, un numéro d'ESTA vous sera délivré presque immédiatement, valable deux ans (dans la limite de validité du passeport), et figurera dans votre dossier de réservation de vols.

• Permis de conduire

Le permis de conduire français de plus d'un an est valable pour un séjour aux États-Unis n'excédant pas trois mois. Au-delà, le permis international est requis.

ASSURANCE

Prévoyez une assurance rapatriement, qui vous sera utile en cas d'accident grave. Les voyagistes la proposent, comprise ou non dans le forfait. De plus, un certain nombre de cartes de crédit incluent cette assurance dans leurs avantages.

SANTÉ

Aucun vaccin n'est obligatoire pour entrer aux États-Unis, néanmoins mieux vaut être bien portant, car le prix des soins médicaux est exorbitant. Pour vous mettre à l'abri des mauvaises surprises, rien ne vous empêche de contracter une assurance.
Pour les urgences : ☎ 911

DOUANE

Pour pouvoir entrer sur le sol américain, la déclaration de douane distribuée dans l'avion doit être complétée (sans ratures !) et remise à l'officier d'immigration à votre arrivée. Le passage à l'immigration n'est pas une simple formalité : prise des empreintes digitales, photo et parfois interrogatoire en règle sur les motivations de votre séjour (conservez l'adresse de votre hôtel avec vous et évitez les plaisanteries !). Il est interdit d'importer des produits alimentaires non stérilisés, des végétaux et des peaux d'espèces protégées. Vous pouvez importez 1 l de vin ou d'alcool, 200 cigarettes, 100 cigares ou 2 kg de tabac. Les cadeaux que vous apportez ne doivent pas excéder un montant total de $100. Au-delà, vous devrez payer 3 % de droits de douane. En cas de traitement médical particulier, conservez l'ordonnance qui correspond à sa prescription. Au retour en France, des droits de douane et des taxes sont applicables si le montant total de vos achats est supérieur à 430 €.
U.S. Customs & Border Protection
www.cbp.gov
Infos Douane française
☎ 0811 20 44 44 – www.douane.gouv.fr

320 m (+ taxe de 50 cents par voyage, majoration de 50 cents de 20h à 6h et de $1 de 16h à 20h en semaine). Il faut laisser un pourboire entre 15 et 20 % du prix de la course, plus si vous avez des bagages. De plus en plus de taxis acceptent la carte de crédit.

En bateau

Les ferries et les *water taxis* permettent de relier Uptown, Downtown, Staten Island, Brooklyn, le Queens, le Bronx et le New Jersey par la voie des eaux.

• Staten Island Ferry Battery
Park Whitehall Terminal South Ferry (B6) – M° Whitehall St. – ☎ (718) 727 25 08 – www.siferry.com
24h/24, départ toutes les 30 min (15 min aux heures de pointe) – Gratuit.
Embarquez sur ce ferry qui conduit les habitants de Staten Island jusqu'à chez eux. La traversée de la baie de New York (25 min) offre un panorama exceptionnel sur Downtown et ne vous coûtera pas un penny !

• New York Water Taxi
☎ (212) 742 19 69 – www.nywatertaxi.com – Mai-oct. : t. l. j. 10h-17h30 – Formule *hop-on / hop-off* : $25.
Ces bateaux-taxis jaunes proposent une formule *hop-on / hop-off* permettant de descendre et de remonter aux débarcadères suivants : W 44th St., Battery Park, South Street Seaport (Pier 17) et Fulton Ferry Landing (DUMBO, Brooklyn). Tour complet en 90 min.

À pied

Connaître et sentir New York implique de se déplacer à pied ! C'est bien moins cher et nettement plus excitant ; les rues sont animées, chaque carrefour réserve une surprise. Mais attention, les piétons sont très respectueux du Code de la route. Évitez de traverser n'importe quand et hors des passages cloutés, vous risqueriez de vous faire vertement remettre à votre place, voire de vous faire renverser.

À vélo

Peu conseillé en ville en raison de la témérité des automobilistes et des chauffeurs de taxi. Réservez-le plutôt pour les balades dans Central Park ou le Village.

• Toga Bike Shop
110 West End Ave. (A2) – M° 66th St.-Lincoln Center – ☎ (212) 799 96 25
www.togabikes.com – Lun.-ven. 11h-19h, sam. 10h-18h, dim. 11h-18h – $35/jour.

À rollers

Les amateurs de sensations fortes peuvent, dès leur arrivée, chausser une bonne paire de Rollerblade, qui sont légion depuis bien longtemps dans la City. Si vous voulez partager cette passion avec les New-Yorkais, rendez-vous à Central Park (voir p. 39) durant le week-end ! Pensez aussi à bien vous équiper pour éviter les chutes douloureuses : le casque et les genouillères sont indispensables ! Location de rollers :

• Blades, Board & Skate
156 W 72nd St., entre Amsterdam Ave. et Columbus Ave. (A2) – M° 72nd St.
☎ (212) 787 39 11 – www.blades.com – Lun.-sam. 10h-20h, dim. 10h-19h – Env. $25/jour.

À voir, à faire

OFFICES DE TOURISME

• Official NYC Information Center
810 7th Ave., entre 52nd et 53rd St. (A2/B2) – M° 7th Ave., 50th St. ou 49th St.
☎ (212) 484 12 22 – www.nycgo.com – Lun.-ven. 8h30-18h, sam.-dim. 9h-17h, j. fériés 9h-15h.

• Times Square Visitor Center
1560 Broadway, entre 46th et 47th St. (B3) – M° Times Square-42nd St.
☎ (212) 484 12 22 – www.timessquarenyc.org – T. l. j. 8h-18h.

Installée dans l'Embassy Theater, cette annexe de l'office du tourisme dispose d'une boutique et d'un minimusée sur Times Square (gratuit). Visite guidée à pied gratuite dans le quartier des théâtres les vendredis à 12h, et vente de tickets pour les spectacles de Broadway (voir p. 125).

• City Hall (kiosque)
Au sud de City Hall Park, à l'angle de Broadway et Park Row (B6) – M° City Hall, Park Place ou Brooklyn Bridge-City Hall – ☎ (212) 484 12 22 – Lun.-ven. 9h-18h, sam.-dim. 10h-17h.

• Chinatown (kiosque)
Au croisement de Canal St., Walker St. et Baxter St. (H8) – M° Canal St. – ☎ (212) 484 12 22 – T. l. j. 10h-18h.

• Harlem
Studio Museum in Harlem 144 W 125th St., entre Adam Clayton Powell Jr et Malcolm X Blvds (D2) M° 125th St. – ☎ (212) 864 45 00 – Jeu.-ven. 12h-21h, sam. 10h-18h, dim. 12h-18h (f. j. fériés) Donations encouragées, gratuit le dimanche.

VISITES GUIDÉES

Que ce soit à pied, en bus ou en bateau, il y a mille et une façons d'explorer la ville. L'offre est impressionnante, et les thématiques nombreuses ! Pour vous faire une idée, surfez sur **www.nycgo.com** et sur **www.nycwalk.com**

À pied (*walking tours*)

• Big Apple Greeter
☎ (212) 669 81 59 – www.bigapplegreeter.org – Lun.-ven. 9h-17h
Résa. 2 semaines minimum avant votre arrivée – Gratuit, donation souhaitée (6 pers. maxi).
Visitez gratuitement le quartier de votre choix avec un New-Yorkais bénévole et passionné.

• Big Onion Walking Tours
476 13th St. (HP par D6) – ☎ (212) 439 10 90 – www.bigonion.com – Calendrier des visites sur le site – $18.
Gangs of New York, Greenwich Village, Central Park… Des visites guidées sérieuses par thème et quartier menées par des historiens.

• Custom & Private New York Tours
382 Central Park West (D3) – ☎ (212) 222 14 41 – www.customandprivate.com
$95 (métro) ou dès $175 (« limo ») de l'heure – 6 pers. maximum – 3h minimum.
Pour sortir des sentiers battus, des visites guidées à la carte, personnalisées en fonction de vos goûts et de vos envies. En métro ou en « limo », à vous de choisir !

• On Location Tours
Infos : ☎ (212) 683 20 27 – Résa avec Zerve : ☎ (212) 209 33 70 – www.screentours.com – De 42 à $48.
Pour les fans de cinéma et de séries, ces visites guidées vous emmènent sur les lieux cultes de séries et de films, tels que *Sex and the City*, *Les Sopranos*, *Le Parrain* ou *Ghostbusters*.

En bus

• Gray Line New York
Sightseeing 777 8th Ave., entre 47th et 48th St. (A3) – M° 49th St. ou 50th St. – ☎ (800) 669 00 51 www.newyorksightseeing.com – T. l. j. 7h-21h30 – De 49 à $109 selon la formule.
Circuits classiques en *double decker bus* (bus à un étage), avec formule *hop-on / hop-off* permettant de monter et de descendre à volonté pendant 48h ou 72h.

• The Ride
1535 Broadway, angle 46th St. (A3) – M° Times Square-42nd St. – ☎ (646) 289 50 60 www.experiencetheride.com – Box office : t. l. j. 10h-20h – $69 en période de pointe.
Ce bus propose un voyage original dans la ville, ponctué de performances de rue (danse, chant…) avec interaction entre le public et les artistes. Ambiance garantie !

À vélo

• Central Park Bike Tour

203 W 58th St, angle 7th Ave. (A2) – M° 59th St.-Columbus Circle – ☎ (212) 541 87 59
www.centralparkbiketours.com – Avril-nov. : t. l. j. 9h-18h, déc.-mars : t. l. j. 9h30-17h – 49 $.

Des balades à vélo commentées de 2h sont proposées dans différents quartiers de la ville et Central Park.

En bateau

• Circle Line

Pier 83, W 42nd St. et 12th Ave. (A3) – M° 42nd St.-Port Authority – ☎ (212) 563 32 00
www.circleline42.com – Horaires variables selon saison – À partir de $27.

Des croisières touristiques (de 75 min à 3h pour un tour complet de Manhattan), gourmandes, musicales, nocturnes ou à grande vitesse à bord du Beast (de mai à oct.).

Dans les airs

• Liberty Helicopters Tours

Downtown Manhattan Heliport Pier 6 and East River (B6) – M° Whitehall St.-South Ferry – ☎ 1 800 542 99 33
www.libertyhelicopter.com – Lun.-sam. 9h-18h30, dim. 9h-17h – $150 (12 à 15 min) et $215 (18 à 20 min).

Survol de Manhattan, de la statue de la Liberté et d'Ellis Island en hélicoptère.

Sur grand écran

• New York Skyride

Empire State Building, 2e étage, 350 5th Ave. et 33rd St. (B3) – M° 34th St.-Herald Square
☎ (212) 279 97 77 ou ☎ 1 888 SKYRIDE – www.skyride.com – T. l. j. 8h-22h.

30 min de film en trois dimensions ($42) qui vous conduiront dans les moindres recoins de la Grosse Pomme.

NEW YORK GRATUIT

New York est une ville chère, mais il est possible de faire un grand nombre d'activités sans débourser un penny !

• Pour dénicher les bons plans, rendez-vous sur : **www.freeinnyc.net, www.clubfreetime.com** et dans la rubrique « Free » du site **www.nycgo.com**. Ces sites Internet répertorient expos, animations et événements gratuits.

• Voici quelques idées qui ne vous coûteront rien : le Museum at the FIT (voir p. 27), le National Museum of the American Indian (voir p. 11), le ferry de Staten Island (voir p. 145), les visites guidées de Big Apple Greeter (voir p. 146), les galeries d'art de SoHo, Chelsea et DUMBO (voir p. 20, 26 et 49), les expos d'art du Time Warner Center (voir p. 36), les parcs où concerts et activités sont fréquents comme à Central Park (voir p. 39) et la balade sur le Brooklyn Bridge pour admirer la skyline de Manhattan (voir p. 11).

• Profitez de la gratuité ou du ***pay what you wish*** (donation) hebdomadaire de certains musées : New Museum of Contemporary Art (voir p. 17), Museum of Arts and Design (voir p. 37), Morgan Library (voir p. 30), MoMA (voir p. 35), Asia Society (voir p. 40), Frick Collection (voir p. 41), Whitney Museum (voir p. 41), Jewish Museum (voir p. 42), Guggenheim (voir p. 42), Neue Galerie (voir p. 43), Studio Museum in Harlem (voir p. 45), Noguchi (voir p. 46), Brooklyn Museum (voir p. 49).

• Pour s'informer, une multitude de **magazines** comme *The Village Voice* sont distribués gratuitement.

• Le réseau de transports new-yorkais (MTA) propose une application gratuite, ***Arts for Transit***, qui recense les 186 œuvres d'art visibles dans le métro. Elle fournit des informations sur les artistes, leurs œuvres et les arrêts de métro où l'on peut les admirer. Uniquement en anglais. **www.mta.info/art/app**

• Beaucoup de **concerts** et de **spectacles** sont gratuits durant l'été (voir p. 4-5). Ils ont lieu dans les parcs de la ville (Central Park, Prospect Park, les bords de l'East River...), sur des esplanades (Pier 17, l'esplanade du Rockefeller Center...), au David Rubinstein Atrium (voir Lincoln Center p. 37), à la Juilliard School of Music (voir p. 37) ou même dans des églises. Pour plus de précisions, consultez le *New York Times*, le *Village Voice* ou le *Time Out*. Les événements gratuits y sont toujours listés.

• Et pour surfer en toute liberté, le **Wifi** est gratuit dans les parcs et la plupart des cafés.

LES MUSÉES

Les musées sont généralement ouverts du mardi au dimanche de 10h à 17h, avec parfois une nocturne, et fermés certains jours fériés (voir ci-dessous). Le prix d'entrée est élevé, en général entre 10 et $20. Certains musées pratiquent la gratuité (voir l'encadré « New York gratuit » p. 147), la *suggested donation* (donation suggérée à l'entrée) ou le *pay what you wish* (on paye ce qu'on veut) au moins un soir par semaine. Si vous comptez visiter plusieurs musées et monuments, procurez-vous un *pass*.

JOURS FÉRIÉS

- **New Year's Day :** 1er janvier
- **Martin Luther King Jr. Day :** 3e lundi de janvier
- **President's Day :** 3e lundi de février
- **Memorial Day :** dernier lundi de mai
- **Independance Day :** 4 juillet
- **Labor Day :** 1er lundi de septembre
- **Columbus Day :** 2e lundi d'octobre
- **Veteran's Day :** 11 novembre
- **Thanksgiving :** dernier jeudi de novembre
- **Christmas Day :** 25 décembre.

Visiter malin avec les *pass*

Disponibles à l'office de tourisme (voir p. 145) ou au guichet des musées, les *pass* sont des forfaits donnant accès à plusieurs musées, monuments et attractions. Ils permettent de faire des économies et d'éviter la queue aux caisses.

• City Pass
Valable 9 jours – $89 – www.citypass.com
Observatoire de l'Empire State Building, Museum d'histoire naturelle, MoMA, MET, Guggenheim (ou Top of the Rock), statue de la Liberté (extérieur) et Ellis Island (ou croisière avec la Circle Line). Économie : 50 % du prix total !

• New York City Explorer Pass
Valable 30 jours – 3, 5, 7 ou 10 attractions pour 74,99, 124,99, 159,99 ou $199,99
Infos au ☎ (866) 629 43 35 – www.smartdestinations.com
Choisissez le nombre de sites dans une liste exhaustive d'attractions.

• New York Pass
1 jour $80, 2 jours $130, 3 jours $165, 7 jours $210 – www.newyorkpass.com
Accès à 70 sites et attractions, et nombreuses réductions, mais difficilement rentable.

S'INFORMER

Pour connaître l'actualité culturelle (musées, expos, galeries, spectacles…), procurez-vous les magazines hebdomadaires ***Time Out New York*** (www.newyork.timeout.com) ***New York Magazine*** (www.nymag.com) ou ***The New Yorker*** (www.newyorker.com). L'édition week-end du ***New York Times*** (www.nytimes.com) comprend un supplément culturel très complet, et tous les événements du moment apparaissent dans la rubrique « Events » du site **www.nycgo.com**. L'hebdo gratuit ***The Village Voice*** (www.villagevoice.com) est aussi à consulter. Concernant les soirées underground ou les petits groupes locaux, récupérez les **flyers** déposés dans les magasins de disques ou les boutiques branchées : ils vous permettront d'obtenir des réductions à l'entrée.

Et le budget ?

Se loger est ce qu'il y a de plus cher à New York. Pour le reste, la ville est si vaste et si variée qu'elle peut s'adapter à toutes les bourses. Comptez au minimum $380 par jour à deux pour le logement, les repas et les transports. Ajoutez à cela votre budget visites et shopping ! Pour info, une carte hebdomadaire de métro revient à $29 (voir p. 143) et une course en taxi dans Manhattan de 8 à $20. Comptez entre 8 et $15 par personne pour le petit déjeuner, entre 15 et $25 pour le déjeuner et à partir de $35 pour le dîner (boisson et pourboire compris – Voir p. 74 notre sélection de restaurants).

COMMENT PAYER ?

La monnaie américaine se compose de billets de 1, 2 (rares), 5, 10, 20, 50 et $100 (dollars ou *bucks* en argot) et de pièces de monnaie de 1 cent (*penny*), 5 cents (*nickel*), 10 cents (*dime*), 25 cents (*quarter*) et $1. Faites attention : tous les billets se ressemblent ! De même couleur et de même dimension, ils se distinguent par les portraits des grands hommes politiques américains. Classez-les par valeur et privilégiez les petites coupures (jusqu'à $20), plus faciles à utiliser. Pour connaître le taux de change actuel entre le dollar et l'euro, consultez le site internet **www.xe.com** En juillet 2012, 1 € valait $1,25.

Les cartes Visa, MasterCard et American Express sont acceptées et permettent de retirer de l'argent liquide aux distributeurs ATM que l'on trouve partout dans la ville. Vous aurez le meilleur taux de change en retirant sur place (attention au plafond de retrait de votre carte) à condition de prélever une somme importante d'un coup pour limiter les frais sur les transactions (taxe fixe de $2 + commission de votre banque). L'achat de devises dans les banques (*Chase Bank*) et surtout dans les bureaux de change est moins avantageux (évitez ceux de l'aéroport). Les *traveller's cheques* émis par American Express et Thomas Cook sont acceptés dans la plupart des magasins, hôtels et restaurants. En cas de perte ou de vol de votre carte de crédit :

Visa : ☎ 1 (800) 847 29 11 – MasterCard : ☎ 1 (800) 627 83 72 – American Express : ☎ 1 (800) 668 26 39.

INFOS TRÈS TRÈS PRATIQUES

NO SMOKING !

Il est strictement interdit de fumer dans tous les lieux publics de la ville (restaurants, bars, parcs, plages, zones commerciales et piétonnes, et également sur certaines places comme Times Square). Attention, la loi est scrupuleusement appliquée, et les amendes élevées ($250) !

TIPS : POURBOIRES MODE D'EMPLOI

Tips courants : $1 par verre au *bartender,* $1 par bagage au porteur de valises, 3 à $5 par jour à la femme de chambre, 10 à 15 % au chauffeur de taxi.

DÉCALAGE HORAIRE

Entre New York et la France, le décalage horaire est de 6h : s'il est 12h à New York, il est 18h en France. Attention, l'heure d'été à New York (ajoutez 1h) est en vigueur à partir du deuxième dimanche de mars et jusqu'au dernier dimanche d'octobre. Pendant 2 semaines (jusqu'à la date du changement d'heure français), le décalage horaire n'est donc pas de 6h mais de 5h. Les Américains parlent en terme d'a.m. (*ante meridiem*) pour la matinée et p.m. (*post meridiem*) pour l'après-midi : 7 a.m. signifie 7h du matin et 7 p.m., 19h.

VOLTAGE

Aux États-Unis, l'électricité fonctionne en 110 volts/60 hertz et les fiches des prises sont plates. Munissez-vous d'un adaptateur et d'un convertisseur ! Pour convertir poids et mesures, consultez le site **www.convert-me.com**

ÉCRIRE ET TÉLÉPHONER

• **Les timbres** (*stamps*) sont vendus dans les bureaux de poste. Les boîtes aux lettres sont bleues avec une inscription « US Mail ». Comptez en moyenne une semaine de délai et $1 pour une carte postale vers la France.

General Post Office
421 8th Ave., entre 31st et 33rd St. (A3)
☎ (800) 275 87 77
Ouvert 24h/24 (bornes automatiques).

UPS (United Postal Service)
☎ (800) 782 78 92 – Pour une livraison express.

• **Pour téléphoner** à New York depuis la France, composez le 00+1 (indicatif des États-Unis) + indicatif local ou *area code* (212 ou 646 pour Manhattan, 718 ou 347 pour Brooklyn, le Queens, le Bronx et Staten Island) + numéro à 7 chiffres de votre correspondant.

Pour téléphoner en France depuis New York, composez le 011 + 33 (indicatif de la France) + le numéro de votre correspondant sans le 0.

À New York, les numéros débutant par 800, 877 et 888 sont gratuits, et l'indicatif 917 correspond à un numéro de portable.

Pour téléphoner depuis une cabine (*public phone*) ou de votre chambre d'hôtel, procurez-vous une carte téléphonique prépayée (*prepaid phone card*) en vente dans les kiosques à journaux et drugstores. Évitez d'appeler directement de votre chambre d'hôtel, car les tarifs sont souvent très élevés, et les numéros en 800 et appels locaux normalement gratuits peuvent être facturés.

NUMÉROS UTILES

☎ 911 (urgences)
☎ 411 (renseignements téléphoniques)
☎ 311 (informations et services de New York).

Consulat de France :
934 5th Ave. (entre 74th et 75th St. – B1)
☎ (212) 606 36 00
www.consulfrance-newyork.org
Lun.-ven. 9h-13h.

Nos hôtels par quartiers

Donnés à titre indicatif, les prix annoncés correspondent à une chambre double standard, petit déjeuner compris, sauf mention contraire, en basse et en haute saison, sans les taxes. Attention, les tarifs sont très variables !

HÔTELS À PRIX SYMPAS

TriBeCa
Visite 2 – p. 12

Cosmopolitan Hotel★★

95 W Broadway, angle Chambers St. (H8)
M° Chambers St.
☎ (212) 566 19 00
Ⓕ (212) 566 35 35
www.cosmohotel.com
De 99 à $259 ; pas de petit déj.

Equipées d'écran plat et du Wifi, ces 150 chambres modernes, propres et confortables, offrent un très bon rapport qualité-prix pour Manhattan.

East Village
Visite 5 – p. 18

East Village Bed & Coffee

110 Ave. C (C4)
M° Lower East Side-2nd Ave., 1st Ave. ou Astor Place
☎ (917) 816 00 71
Ⓕ (212) 979 97 43
www.bedandcoffee.com
De 135 à $155 ; pas de petit déj.

Ambiance loft new-yorkais et communautaire (salon, cuisine et salles de bains sont à partager) dans cette *guesthouse* qui dispose de 11 chambres personnalisées et d'un petit jardin.

St Marks Hotel

2 St Marks Place (H6)
M° Astor Place
☎ (212) 674 01 00
Ⓕ (212) 420 08 54

1 - The Gershwin Hotel
2 - Carlton Arms Hotel
3 - Chelsea Lodge

www.stmarkshotel.net
De 110 à $140 ; pas de petit déj.

70 chambres classiques au confort basique et des prix très raisonnables au cœur d'East Village.

SoHo / NoLIta
Visite 6 – p. 20

The Sohotel★★★

341 Broome St., angle Bowery St. (I7)
M° Bowery
☎ (212) 226 14 82
Ⓕ (212) 226 35 25
www.thesohotel.com
De 99 à $399 ; pas de petit déj.

Cet hôtel empile une centaine de petites chambres avec salle de bains et équipement standard (bruyantes côté boulevard).

Greenwich Village / West Village
Visite 7 – p. 22

The Larchmont Hotel★★
27 W 11th St., entre 6th et 5th Ave. (H6)
M° 14th St.
☎ (212) 989 93 33
www.larchmonthotel.com
De 119 à $129 en sem., de 130 à $145 le w.-e.

Cette jolie *brownstone* abrite 66 chambres à la déco passée (meubles en rotin) avec lavabo (salles de bains communes). Surtout pour la situation, le calme et les prix imbattables.

Meatpacking District
Visite 8 – p. 24

The Jane Hotel
113 Jane St., angle West St. (A4)
M° 8th Ave.-14th St.
☎ (212) 924 67 00
F (212) 924 67 05
www.thejanenyc.com
$125 en double avec lits superposés et salle de bains commune, $275 en *Captain's Cabin* avec *queen beds* et salle de bains privée ; pas de petit déj.

Petit hôtel rétro et branché avec des couchettes de wagon-lit minuscules ou des cabines de bateau en guise de chambres. Vue sur l'Hudson River.

Chelsea
Visite 9 – p. 26

Chelsea Star Hotel
300 W 30th St. (A3)
M° 34th St.-Penn Station
☎ (212) 244 78 27
F (212) 279 90 18
www.starhotelny.com
De 79 à $159 avec salle de bains commune, supérieure de 119 à $249, dortoir à partir de $35 ; pas de petit déj.

Un petit hôtel gai et biscornu avec des chambres à thème (pop art, Shakespeare…) avec salles de bains communes, ou de catégorie supérieure plus sobres.

Chelsea Lodge
318 W 20th St., entre 9th et 8th Ave. (A4)
M° 23rd St.
☎ (212) 243 44 99
F (212) 243 78 52
www.chelsealodge.com
$134 en *single,* $144 en double ; pas de petit déj.

Cet hôtel abrite 22 petites chambres avec lavabo et douche (w.-c. sur palier) au goût d'Amérique champêtre. Une bonne adresse pour la tranquillité et les prix doux.

Colonial House Inn
318 W 22nd St., entre 9th et 8th Ave. (A4)
M° 23rd St.
☎ (212) 243 96 69
www.colonialhouseinn.com
Chambres de 130 à $165 (salle de bains commune), de 180 à $245 (salle de bains privée), suites (5 pers.) à partir de $280.

Les hétéros apprécient également cette adresse gay *friendly* qui dispose de 20 petites chambres cosy et de 2 suites luxueuses.

Madison Square / Union Square
Visite 10 – p. 28

The Gershwin Hotel★★
7 E 27th St. (B4)
M° 28th St.
☎ (212) 545 80 00
F (212) 684 55 46
www.gershwinhotel.com
De 110 à $299, dortoir à partir de $44.

Derrière la façade étonnante, des chambres pour tous les budgets dans cet hôtel décoré avec des œuvres d'Andy Warhol ou de Randy Bloom.

Carlton Arms Hotel
160 E 25th St. (B4)
M° 23rd St.
☎ (212) 679 06 80
F (212) 684 83 37
www.carltonarms.com
De 110 (salle de bains commune) à $130 ; pas de petit déj.

Ce petit hôtel atypique et arty est une aubaine pour les petits budgets. Les 54 chambres rudimentaires ont été peintes par divers artistes. Le service est minimal.

Empire State Building / Times Square
Visite 11 – p. 30

Herald Square Hotel★★
19 W 31st St., entre Broadway et 5th Ave. (B3)
M° 33rd St.
☎ (212) 279 40 17
F (212) 643 92 08
www.heraldsquarehotel.com
***Regular queen* de 129 à $199, *king size room* de 199 à $299.**

Logé dans les anciens bureaux de *LIFE Magazine,* cet hôtel est bon marché pour le quartier. Avec leurs salles de bains rétro, les chambres sont simples et coquettes mais parfois sombres !

Rockefeller Center
Visite 13 – p. 34

The Pod Hotel
230 E 51st St. (B3)
M° Lexington Ave.-53rd St. ou 51st St.
☎ (212) 355 03 00
F (212) 755 50 29
www.thepodhotel.com
De 89 à $329 ; pas de petit déj.

Ce petit bijou de design essaime des chambres minimalistes et contemporaines avec coin bureau, station iHome et Wifi gratuit. Le *roofgarden* invite à la détente.

Metropolitan Museum
Visite 17 – p. 42

Stay the Night

18 E 93rd St., entre 5th et Madison Ave. (B1)
M° 96th St.
☎ (212) 722 83 00
F (212) 427 61 23
www.staythenight.com
De 75 à $345 selon la chambre et la période ; pas de petit déj.

« Passez la nuit ici » pour profiter en toute indépendance (pas de services) de ces suites au charme victorien dans une *townhouse* du quartier le plus huppé de Manhattan.

Harlem
Visite 18 – p. 44

The Harlem Flophouse

242 W 123rd St., entre 7th et 8th Ave. (D2)
M° 125th St.
☎ (347) 632 19 60
www.harlemflophouse.com
De 100 à $175 (de 25 à $35 en plus pour occupation double), salle de bains commune ; pas de petit déj.

Une *brownstone* pour replonger dans le Harlem des années 1930 : meubles et papiers peints vintage, cheminées et baignoires en fonte. Une adresse authentique et sophistiquée sans TV, Internet et climatisation !

HÔTELS DE CHARME

TriBeCa
Visite 2 – p. 12

Duane Street Hotel

130 Duane St., angle Church St. (H8)
M° Chambers St.
☎ (212) 964 46 00
www.duanestreethotel.com
De 189 à $349.

Boutique-hôtel avec 45 chambres claires et contemporaines. Parquet, meubles en bois et tons minimalistes. Accès gratuit au Wifi, à la salle de fitness et iPads à disposition.

Lower East Side
Visite 4 – p. 16

Off SoHo Suites Hotel

11 Rivington St., entre Bowery St. et Chrystie St. (I7)
M° Bowery
☎ (212) 979 98 15
www.offsoho.com
Suite pour 2 à partir de $159, suite *deluxe* pour 4 à partir de $209.

Simples et spacieuses, ces suites dotées d'une kitchenette et d'un salon sont une bonne alternative aux chambres d'hôtel minuscules de New York.

Greenwich Village / West Village
Visite 7 – p. 22

Washington Square Hotel★★★

103 Waverly Place, angle Mac Dougal St. (H6)
M° W 4th St.
☎ (212) 777 95 15
F (212) 979 83 73
www.washingtonsquarehotel.com
De 235 à $370
(de 170 à $300 janv.-mars).

Ce bel hôtel Art déco accueille artistes et écrivains depuis plus d'un siècle. Bar, restaurant et salle de fitness.

Meatpacking District
Visite 8 – p. 24

Abingdon Guesthouse

21 8th Ave., entre W 12th St. et Jane St. (G6)
M° 8th Ave.-14th St.
☎ (212) 243 53 84
www.abingdonguesthouse.com
De 199 à $260 ; pas de petit déj.

Halte romantique dans cette *guesthouse* installée dans deux maisons de style fédéral. Les chambres, toutes différentes, sont confortables et coquettes.

Madison Square / Union Square
Visite 10 – p. 28

The Inn on 23rd

131 W 23rd St., entre 7th et 6th Ave. (B4)
M° 23rd St.
☎ (212) 463 03 30
www.innon23rd.com
De 229 à $429.

Un excellent B&B, dans une charmante *townhouse* de 5 étages avec ascenseur. 14 chambres de styles différents, avec double vitrage et lits douillets.

Ace Hotel

20 W 29th St., entre Broadway et 5th Ave. (B3)
M° 28th St.
☎ (212) 679 22 22
F (212) 679 19 47
www.acehotel.com
À partir de $200.

Atypique, urbain, branché, The Ace est un repaire de *hipsters*. Des chambres pour tous les budgets, dont la déco mêle l'industriel et le vintage. Une ambiance 100 % new-yorkaise !

Empire State Building / Times Square
Visite 11 – p. 30

Hotel 414

414 W 46th St., entre 9th et 10th Ave. (A3)
M° 50th St.
☎ (212) 399 00 06
F (212) 957 87 16
www.414hotel.com
De 209 à $265.

Ce charmant boutique-hôtel occupe deux *townhouses* décorées avec goût. La plupart des chambres donnent sur une jolie cour fleurie offrant le luxe inestimable du silence à New York.

1 - Country Inn the City
2 - The French Quarters Guest Apartments
3 - Country Inn the City

The French Quarters Guest Apartments

346 W 46th St., entre 9th et 8th Ave. (A3)
M° 50th St. ou 42nd St.
☎ (212) 359 66 52
Ⓕ (212) 245 34 29
www.frenchquartersny.com
À partir de $229.

Une adresse intimiste de 22 chambres et 5 suites élégantes d'inspiration Nouvelle-Orléans avec kitchenette, écran plasma, lecteur DVD et Wifi gratuit.

Nations unies
Visite 12 – p. 32

Library Hotel★★★★

299 Madison Ave., angle E 41st St. (B3)
M° 5th Ave. ou Grand Central-42nd St.
☎ (212) 983 45 00
Ⓕ (212) 499 90 99
www.libraryhotel.com
De 229 à $799.

L'hôtel intello ! Dans un bel immeuble 1900, ce petit hôtel luxueux dispose de 60 chambres personnalisées avec des œuvres d'art et une petite bibliothèque.

Central Park West
Visite 15 – p. 38

Country Inn the City

270 W 77th St. (A1)
M° 79th St.
☎ (212) 580 41 83
www.countryinnthecity.com
Résa de 3 nuits minimum
De 230 à $350 ; pas de petit déj.

Dans un esprit *British* chic, cette adresse de charme abrite 4 studios indépendants comprenant un petit salon et une cuisine équipée.

Beacon Hotel★★

2130 Broadway, entre 74th et 75th St. (A1)
M° 72nd St.
☎ (212) 787 11 00
Ⓕ (212) 724 08 39
www.beaconhotel.com
De 245 à $325.

Les chambres à la déco classique de cet hôtel ont le mérite d'être très grandes (une rareté à New York !) et sont dotées d'un petit coin cuisine.

Metropolitan Museum

The Franklin

164 E 87th St., entre Lexington Ave. et 3rd Ave. (B1)
M° 86th St.
☎ (212) 369 10 00
www.franklinhotel.com
De 229 à $429.

Ce boutique-hôtel romantique et intimiste abrite 50 chambres décorées avec les clichés de la photographe de mode Deborah Turbeville.

EXPRESSIONS USUELLES

Matin : *morning*
Après-midi : *afternoon*
Soir : *evening*
Mardi soir : *tuesday night*
Bonjour (usuel) : *hello, hi*
Au revoir (usuel) : *bye*
Bonne journée : *have a good day*
Comment allez-vous ? : *how are you doing ?*
Je vais bien : *I'm fine*
Merci : *thank you*
Il n'y a pas de quoi : *you're welcome*
Manger : *to eat*
Boire : *to drink*
Comprenez-vous : *do you understand ?*
Je ne comprends pas : *I don't understand*
Excusez-moi : *excuse me*
Parlez-vous le français ? : *do you speak french ?*
Je veux : *I want*
Je voudrais : *I would like*
Combien cela vaut-il ? : *how much is it ?*
C'est trop cher : *it's too expensive*

ESPACE ET TEMPS

Après : *after*
Aujourd'hui : *today*
Avant : *before*
Demain : *tomorrow*
Encore : *again*
Hier : *yesterday*
Là-haut : *up there*
Maintenant : *now*
Où : *where*
Pendant : *during*
Près : *near*
Quand : *when*
Tard : *late*
Tôt : *early*
À demain : *see you tomorrow*
Heure : *hour*
Horaire : *schedule*
Horloge : *clock*
Minute : *minute*
Montre : *watch*
Quelle heure est-il ? : *what time is it ?*
Il est une heure : *it's one (o'clock)*
Il est midi : *it's noon*
Il est minuit : *it's midnight*

SHOPPING

10 cents : *dime*
25 cents : *quarter*
Antiquité : *antique*
Argent : *money*
Argent (matière) : *silver*
Au détail : *retail*
Baskets (chaussures) : *sneakers*
Bijou : *jewel*
Bottes : *boots*
Boutique : *shop*
Capuche : *hood*
Casquette : *cap*
Ceinture : *belt*
Chapeau : *hat*
Chaussettes : *socks*
Chaussons : *slippers*
Chaussures : *shoes*
Chemise : *shirt*
Coton : *cotton*
Cravate : *tie*
Cuir : *leather*
Dentelle : *lace*
Drap : *sheet*
Écharpe : *scarf*
« En gros » : *whole sale*
Espèces : *cash*
Étiquette : *tag*
Gants : *gloves*
Grand magasin : *department store*
Imperméable (manteau) : *raincoat*
Jouet : *toy*
Journal : *newspaper*
Jupe : *skirt*
Lacet : *lace*
Laine : *wool*
Lin : *linen*
Livre : *book*
Lunettes : *glasses*
Lunettes de soleil : *sunglasses*
Marchander : *to bargain*
Marché : *market*
Mocassin : *mocassin*
Mode : *fashion*
Monnaie : *change*
Nappe : *tablecloth*
On ne rend pas la monnaie : *exact change*
Or : *gold*
Panier : *basket*
Pantalon : *pants*
Pièce de monnaie : *coin*
Poids : *weight*
Pointure : *size*
Prix : *price*
Pull-over : *sweater*
Rayure : *stripe*
Rétrécir : *to shrink*
Robe : *dress*
Sac : *bag*
Sac à main : *hand bag*
Serviettes : *napkins*
Short : *shorts*
Soie : *silk*
Soldes : *sales*
Sous-vêtements : *underwear*
Soutien-gorge : *bra*
Supermarché : *supermarket*
Taie d'oreiller : *pillowcase*
Talons : *heels*
Tarif : *fare, rate, fee*
Uni : *plain*
Veste, manteau : *jacket*

LES NOMBRES

Nombre : *number*
Un, une : *one*
Deux : *two*
Trois : *three*
Quatre : *four*
Cinq : *five*
Six : *six*
Sept : *seven*
Huit : *eight*
Neuf : *nine*
Dix : *ten*
Onze : *eleven*
Douze : *twelve*
Treize : *thirteen*
Quatorze : *fourteen*
Quinze : *fifteen*

Seize : *sixteen*
Dix-sept : *seventeen*
Dix-huit : *eighteen*
Dix-neuf : *nineteen*
Vingt : *twenty*
Vingt et un : *twenty-one*
Trente : *thirty*
Quarante : *forty*
Cinquante : *fifty*
Soixante : *sixty*
Soixante-dix : *seventy*
Quatre-vingts : *eighty*
Quatre-vingt-dix : *ninety*
Cent : *one hundred*
Mille : *one thousand*

À LA DOUANE

Carte d'identité : *ID (identity card)*
Devises étrangères : *foreign currency*
Douanier : *customs agent*
Objets personnels : *personal effects*
Passeport : *passport*
Quel est l'objet de votre voyage ? : *what is the purpose of your trip ?*
Rien à déclarer ? : *nothing to declare ?*
Vacances : *vacation*

À L'HÔTEL

Réservation : *booking*
Avez-vous des chambres ? : *do you have any rooms ?*
Chambre simple : *single room*
Chambre double : *double room*
Salle de bains particulière : *private bathroom*
Quel est le prix de cette chambre ? : *what is the rate of this room ?*
À quelle heure doit-on libérer la chambre ? : *what is check out time ?*

AU RESTAURANT

Addition : *check, bill*
Boisson (sans alcool) : *soft drink*
Boisson alcoolisée : *drink*
Déjeuner : *lunch*
Dessert : *dessert*
Dîner : *dinner*
Eau : *water*
Eau du robinet : *tap water*
Eau gazeuse : *sparkling water*
Eau minérale : *spring water*
Épicerie de quartier : *delicatessen*
Est-ce que je pourrais en avoir encore ? : *can I have some more ?*
Garçon : *waiter*
Menu : *menu*
Pain : *bread*
Petit déjeuner : *breakfast*
Plats du jour : *specials*
Pourboire : *tip*
Pour emporter : *take out*
Pour manger sur place : *eat in*
Serveuse : *waitress*
Vin : *wine*

EN VILLE

À droite : *on the right*
À gauche : *on the left*
Au nord de Manhattan : *uptown*
Au sud de Manhattan : *dowtown*
Métro : *subway*
Pâté de maisons : *block*
Rue : *street*
Taxi : *taxi, cab*
Ticket de métro : *token*